COLLECTION IDÉES

Lao-tseu

Tao tö king

TRADUIT DU CHINOIS
PAR LIOU KIA-HWAY

PRÉFACE
D'ETIEMBLE

Gallimard

Titre original :

TAO TÖ KING

« Le Tao [...] C'est une doctrine représentée en chinois par un curieux idéogramme.

« C'est un idéogramme en trois parties : en bas la barque d'Isis (comme sur l'anneau papal) : en haut un horus *(astronef venu du Ciel*), *et, entre les deux, l'échelle de Jacob.* »

Jean Sendy
(*Les Cahiers de Cours de Moïse,*
Julliard, 1966, pp. 129-130).

EN RELISANT LAO-TSEU

Depuis que les Jésuites mathématiciens, expédiés en Chine par Louis XIV pour faire pièce à leurs collègues espagnols, rhénans, ou portugais, révélèrent aux Français l'existence de Lao-tseu – philosophe en ceci du moins digne pour eux d'attention qu'il serait resté quatre-vingts ans caché dans la matrice de sa mère, où de longues méditations lui permirent de se former une idée approchée de la très adorable et très sainte Trinité, le Tao tö king *a fait chez nous carrière. L'un des ouvrages les plus malaisés de toutes les littératures est donc l'un des plus traduits. Toutes les sottises – plus une ou deux – furent accumulées sur ces quelque cinq mille caractères. Combien de fois cinq millions de mots, je l'ignore; plus de cinq millions de mots, en tout cas, ont comme effacé le sens du* Tao tö king.

Odieux aux missionnaires, Jésuites y compris, qui confondaient ou feignaient de confondre les philosophies du Tao *– celles du* Tao tö king, *du* Tchouang-tseu, *du* Lie-tseu *– avec la sorcellerie, le chamanisme, les pratiques alimentaires et sexuelles de longue vie qui se réclamaient hélas elles aussi du* tao, *le* taoïsme *constitue avec le* zen, le yoga et la non-communication, *un des quatre piliers de notre schizophrénie. Cependant que Maître K'ong, le* Confucius *cher aux Jésuites et à Voltaire, devenait la tête de Turc de quiconque en France se pique de penser : Claudel aussi bien que nos nazis célèbrent le* Tao tö king *et ridiculisent Confucius : un homme, pensez donc, assez bête pour parler de « générosité », comme Descartes ou Charles Sorel; pour se méfier des phantasmes et se moquer des fantômes; un humaniste, quel dégoût !*

Si vous doutez de ce que j'affirme, lisez Connaissons-nous la Chine ? *et démontrez-moi, ensuite, que j'inventai mes références. Désormais, Lao-tseu s'impose à nos contemporains d'une façon à ce point tyrannique*

que j'ai lu en peu de temps deux articles qui lui attribuent, pour l'en féliciter, une anecdote que ceux qui ont pratiqué le Louen Yu, *les* Entretiens familiers *de Maître K'ong, croyaient en toute bonne foi y avoir lue au chapitre XIII, paragraphe 3 : « Si le duc de Wei, Maître, vous attendait pour administrer avec vous ses affaires, quel serait votre premier soin ? » Le Maître répliqua : « Avant tout, il faudrait restaurer le langage* (*ou :* corriger les dénominations). » *Comme il est évident que l'auteur quel qu'il soit de cette réponse fut un sage, et un politique, comme il est patent que la formule dénonce notre barbarie, laquelle est pour une grande part langagière (les mensonges de la publicité multipliant par millions les risques auxquels nous exposaient ceux des politiciens), nous ne pouvons admettre qu'elle appartienne à l'école de Maître K'ong. (On a prétendu que c'était une interpolation, destinée à fournir caution orthodoxe à Siun-tseu, cet hérétique d'origine confucéenne, qui traita longuement de la rectification du langage. On avait tort, et elle ne dépare pas le* Louen Yu, *n'y choque point.) Nous attribuons donc ce texte à Lao-tseu, non sans d'abord l'enjoliver : « Si j'étais Dieu, je rendrais aux mots leur valeur », pouvait-on lire en 1964 dans* La Nouvelle Revue française. *Dieu ? avec un* d *majuscule ! Un Dieu personnel, transcendant, à l'occidentale ! C'est se moquer; pourtant, on l'écrit. Ailleurs, au* Figaro : « *On demandait à Lao-tseu, le philosophe chinois, ce qu'il ferait de son pouvoir s'il était le maître absolu :* Je rétablirais le sens des mots. *Cela se passait six cents ans avant Jésus-Christ. » A ce point sommes-nous imbus et toqués de cette fable taoïste que* Le Canard enchaîné *compte Lao-tseu parmi les grands de grands, ceux qu'il convient, qu'il importe de parodier à la rubrique des* Classiques transis :

> Lao-tseu
> n'est pas d' ceux
> qui peuvent bousculer
> le beau Tao.

Le beau tao, *le* pot à eau. *L'allusion est fort claire, car la parabole du pot à eau fit couler en Occident beaucoup plus d'encre que la jarre du* Tao tö king *ne contint jamais d'eau pure. Or le mythe du taoïsme n'est pas moins nuisible au* tao, *au* Tchouang-tseu, *au* Tao tö king, *qu'à l'intelligence d'* Une saison en enfer *le mythe d'Arthur Rimbaud.*

Certes on trouverait chez nous une demi-douzaine de citoyens qui parlent du tao *avec tact : Jean Grenier, dans l'* Esprit du Tao; *Michel Leiris qui, dans ses* Fibrilles, *évoque les « sentences sibyllines, simples apparemment », mais douées d'étranges prolongements, « chargées d'une vérité trop ancienne et trop élémentaire pour n'être pas incontestable »; Queneau, qui écrivit, avec* Les Fleurs bleues, *le plus beau, le plus grave des romans taoïstes : le seul en France, et le second que je connaisse en Europe, après celui de Karl Sigmund von Seckendorff :* Das Rad des Schicksals oder die Geschichte Dschuang Dsïs; *çà et là, André Masson, Henri Michaux. Encore dois-je observer que si Michaux a raison de célébrer l' « effacement suprême » à quoi aspire le philosophe taoïste, je doute qu'il soit fondé à tenir et publier que Lao-tseu « ne dit chose qui ne soit claire, certaine ».*

Certaines, *les vérités du* Tao tö king ? Certaines *parce que* claires ? *ou* certaines *parce que* sibyllines ? *Nous verrons; ou du moins nous tâcherons d'y voir. A moins d'avoir étudié de près le texte chinois, et* l'établissement de ce texte, *à moins d'avoir tenté d'en traduire quelques paragraphes, comment pourrait-on se former là-dessus un jugement, ou même une opinion, dignes d'être divulgués ? Or, de « Lao-tseu », nous savons maintenant que nous ne savons presque rien. Comme tout le monde, j'ai lu la biographie que lui attribue Sseu-ma ts'ien, plus fabuleuse encore que celle de Maître K'ong dont Granet démonta les mécanismes.*

Lao-tseu serait natif du village de K'iujen (qui dépendait du canton de Li, dans la sous-préfecture de K'ou, au royaume de Tch'ou). Li serait son nom de famille, Eul son prénom, T'an son nom posthume. Il aurait été conservateur des archives impériales sous les Tcheou. Confucius l'aurait interrogé sur le sens des rites et l'aurait comparé ensuite au dragon : insaisissable. Lao-tseu aurait cultivé la voie et la vertu. Le but de sa doctrine consisterait à vivre caché du monde. Pour avoir longtemps servi à la cour des Tcheou et en avoir constaté la décadence, il aurait abandonné sa charge, serait arrivé à la passe de l'Ouest. Le gardien du poste lui aurait alors demandé :

– Puisque vous allez vivre en ermite, veuillez écrire un livre pour mon édification.

C'est ainsi que, selon sa légende, Lao-tseu écrivit un ouvrage en deux parties : l'une sur le Tao, *l'autre sur la Vertu* (Tö). *L'ouvrage compte plus de cinq mille caractères. Sitôt achevée sa tâche, Lao-tseu s'en alla. Nul ne put rien savoir sur sa fin.*

Nous ne saurions, nous, accorder la moindre valeur à cette tradition qui reporte au VIe *siècle avant notre ère la rédaction d'un traité que la critique interne impose de situer beaucoup moins loin dans le passé.*

D'autres légendes rapportent que, non content d'avoir médité quatre-vingt ans dans l'utérus de sa mère, Lao-tseu s'attarda sur terre cent soixante ou deux cents ans (fables destinées à justifier les amateurs de longue vie, qui se réclamaient de son tao, *et à justifier le nom de* Lao-tseu : le Vieux). *Il naquit donc vieillard, à quatre-vingts ans, et vécut très très vieux. Tout cela, dérisoire. Le savant contemporain* Lo Ken-tchai *accepte néanmoins une des hypothèses de Sseu-ma Ts'ien, celle qui suppose que Lao-tseu pourrait s'identifier à l'historiographe T'an des Tcheou. L'arbre généalogique fourni par Sseu-ma Ts'ien* (*Lao-tseu qui engendra Tsong, qui engendra Tchou, qui engendra Kong, qui engendra Kia, qui engendra Kiai*) *recouvrirait celui de T'an. Hélas ! des érudits aussi habiles que Lo Ken-tchai soutiennent que la prétendue rencontre entre T'an* (*Lao-tseu*) *et le duc Hien de Ts'in, telle que la rapporte Sseu-ma Ts'ien, contredit le ton et les idées du* Tao tö king. *D'autre part, il y a deux siècles déjà que de savants chinois ont fait justice des fables relatives à ce « Vieux », et des brocards dont il aurait abreuvé ce pauvre idiot de Maître K'ong. Je sais bien que depuis le régime communiste Kouan Fong et Lin Yu-che ont tenté de démontrer que le* Tao tö king *pouvait remonter à l'époque de Maître K'ong : on y trouverait les* reflets *d'une crise sociale qui se produisit alors : à l'ancienne aristocratie, qui possédait des esclaves, se substituait en ce temps-là une aristocratie de latifondiaires, et Lao-tseu prendrait place parmi les penseurs « réactionnaires ». Qu'on m'explique alors pourquoi, comment, un autre marxiste, Thalheimer, a pu découvrir au* Tao tö king, *voilà trente ans, une prémonition de la dialectique, et en particulier toute la* Dialectique de la nature *selon Engels ! En s'opposant à la promotion du peuple, et en condamnant les techniques, affirment au contraire les deux marxistes chinois, Lao-tseu prendrait le parti et la défense de l'ancienne classe possédante; il s'opposerait au progrès d'une classe montante qui fonde son pouvoir sur l'habileté technicienne. L'*inaction *prônée par* le Vieux, *son* Wou-wei, *seconderait les seigneurs fainéants, qui espèrent ainsi retarder leur inéluctable décadence.*

Comme si le quiétisme (*à plus d'un égard comparable au taoïsme*) reflétait *la même situation économique, politique, sociale ! Paresseuse à souhait, l'image du « reflet » n'explique rien du tout. S'il y eut jamais un Li Eul de chair et d'os, un Lao-tseu, il vécut sans doute à l'époque des Royaumes combattants* (*du* IVe *au* IIIe *siècle avant notre comput*), *c'est-à-dire après K'ong-tseu, notre Confucius. Ainsi pensait déjà Leang K'i-tchao* (*1873-1929*); *ainsi conclut le plus autorisé des historiens chinois de la philosophie*

Fong Yeou-lan[1]. *Duyvendak pense lui aussi que le* Tao tö king *n'offrirait aucun sens cohérent s'il remontait au-delà du* IIIe *fiècle.*

De Lao-tseu, du Vieux, *nous ne savons quasiment rien, ni même s'il vécut jamais; on lui attribua un des canons du taoïsme, comme à Maître K'ong son rival en légende, toutes sortes d'ouvrages qui ne lui appartiennent pas. Les divers canons du taoïsme sont des recueils d'aphorismes, d'anecdotes, dont l'esprit diverge fortement. Comparez le* Tchouang-tseu *au* Lie-tseu, *et au* Tao tö king; *si vous savez lire, vous reconnaîtrez-là, outre quelques traits communs, beaucoup de pensées absolument contradictoires. Prenons-en notre modeste parti; et, plutôt que de vaticiner avec les chrétiens ou les marxistes orthodoxes, essayons de comprendre le* Vieux, *car il mérite cet effort. Car il l'exige : « Rares, ceux qui me connaissent; précieux, ceux qui me suivent »* (*ou bien :* m'imitent; *ou encore, selon l'interprétation de Stanislas Julien, fort séduisante : « Ceux qui me comprennent sont bien rares. Je n'en suis que plus estimé »*).

1. A *History of Chinese Philosophy*, Princeton University Press, 2 vol., 1952, traduit du chinois par Derk Bodde.

Dire qu'il se trouve encore des gens pour célébrer la clarté, l'évidence du Tao tö king *! Clair, oui, à tout esprit confus, et à quiconque ne sait pas un mot de chinois. D'autant plus malaisé qu'on connaît moins mal cette langue.*

Dussé-je une fois de plus contrister nos belles âmes, en leur donnant un récital homaisique, l'admiration de plus en plus vive que je porte au Tchouang-tseu *et l'usage qu'à l'occasion je fais du* Tao tö king *pour ma gouverne quotidienne m'invitent à dissiper les nuées. C'est la meilleure façon de servir, quel qu'il soit,* le Vieux.

Lorsque Stanislas Julien produisit en 1842, à l'Imprimerie Royale, Le Livre de la Voie et de la Vertu, composé dans le VIe siècle avant l'ère chrétienne par le philosophe Lao-tseu, traduit en français et publié avec le texte chinois et un commentaire perpétuel, *on sortit enfin de la fable perpétuée par les Jésuites, et enjolivée par Abel Rémusat. Le prédécesseur au Collège de France de Stanislas Julien écrivait sans rougir que les caractères* khi, hi, wei *qui définissent en effet le* tao *(chap. XIV) constituent « des signes de sons étrangers à la langue chinoise et paraissent matériellement identiques au tétragramme hébraïque de Jéhovah : il est bien remarquable que la transcription la plus exacte de ce nom célèbre se rencontre dans un livre chinois ».*

Stanislas Julien, le premier, balaya ces ordures accumulées sur la « voie » (mais Lao-tseu reste chez lui un philosophe du VIe *siècle). Il met en garde contre « la légende fabuleuse de Lao-tseu », celle qui le fait rester dans le ventre de sa mère 72 (6 × 12) ou 81 (9 × 9) ans, et en sortir la tête blanche*[1]. *D'où ce nom* lao *(vieux)* tseu *(enfant). Il propose une traduction en son temps remarquable, que je relis toujours avec reconnaissance, bien qu'elle soit, comme on dit, « dépassée ». De fait, elle l'est. Non point par celles du jésuite Wieger, de Pierre Salet : mais, du point de vue de la qualité poétique, par la version du P. Houang Kia-tcheng et Pierre Leyris; mais par celle de J. L. L. Duyvendak, le feu professeur de chinois à l'Université de Leyde (qui, outre sa version fran-*

1. Pour la même raison, le *Tao tö king* devait compter 81 chapitres. Ce qui explique, sans le justifier, l'arbitraire souvent du découpage (d'autant que le texte actuel a mêlé puis tenté de démêler divers chapitres).

çaise assortie du texte chinois[1], *publia une traduction anglaise et une version néerlandaise). Publication à tous égards révolutionnaire. Qu'il établisse le texte, ou le traduise, Duyvendak nous impose une conversion radicale. « Enfin un* Lao-tseu *au point! » écrivait à ce sujet le maître de la sinologie française, M. Paul Demiéville, peu fertile en points d'exclamation. « Un des sommets de la littérature universelle, mais combien abrupt, se voit enfin aborder avec le respect qui lui est dû. » Voici donc la traduction « la plus autorisée de toutes celles qui ont paru et qui paraissent sans cesse en toutes langues*[1]; *c'est à elle qu'il faudra se référer désormais, à l'exclusion des précédentes.*

1. A. Maisonneuve, 1953.

1. Tel sur nous le prestige du *Tao tö king*, que des Français qui ne savent pas de chinois ont osé le traduire, ou plutôt, le récrire à partir des versions qui existent; ainsi du « texte français par Armel Guerne » au Club français du Livre, 1963, du *Pseudo Lao-tseu* du Kermor élaboré de 1954 à 1957 (hors commerce). A titre de curiosité, je donnerai le début du*Tao tö king* dans l'une et l'autre de ces récritures :

Armel Guerne :

Tao qui se peut enseigner (*tao*)
N'est point l'immuable Tao.
Nom qui se peut nommer,
N'est point un immuable Nom.

(voilà donc un *Tao tö king* traditionnel).

C'est la seule en effet qui tienne un compte suffisant de l'exégèse philologique chinoise; celle-ci y est utilisée de manière approfondie avec un sens critique affiné par toute une vie de familiarité avec le célèbre poème et de réflexion sur la philosophie qui s'en dégage. » Moi-même, qui ne suis qu'un amateur de pensée chinoise, j'en fus bouleversé. Avouez qu'il y avait de quoi! Dès la première phrase, Duyvendak jetait bas tout ce que j'avais appris.

Stanislas Julien :

> La voie qui peut être exprimée par la parole n'est pas la Voie éternelle; le nom qui peut être nommé n'est pas le Nom éternel.

(*Curieuses majuscules car le chinois n'en possède point.*)

Kermor :

TAO, en SOI, jamais identique à lui-même,
Aucun terme constant ne saurait l'exprimer.

(et voilà un *Tao tö king* qui bénéficie des travaux de Duyvendak).

Kermor a du moins la modestie de ne pas mépriser ceux qui, pour traduire Lao-tseu, ont commencé par étudier longuement le chinois; il se garde bien de dauber, lui, sur les « savants » qui « sont parvenus à mettre en doute jusqu'à l'existence même de Lao-tseu ». (Comme si, pour admirer le *Tao tö king*, il fallait d'abord refuser de s'en informer.)

Wieger, S. J. :

Le principe qui peut être énoncé, n'est pas celui qui fut toujours. L'être qui peut être nommé n'est pas celui qui fut de tout temps (Avant les temps, fut un être ineffable, innommable).

(*Si vous ne reconnaissez sous cette glose abigotante un pressentiment du Dieu transcendant, éternel, de l'Eglise, vous n'êtes pas fort en catéchisme.*)

Pierre Salet :

Le Tao qui serait une voie (*ou* : qui peut être défini) n'est pas le Tao éternel. Le Nom que l'on pourrait nommer n'est pas Nom éternel.

(*Cette fois, il y a des majuscules aux deux emplois de* Tao *et de* Nom. *Majuscule pour majuscule, je préfère la solution de Stanislas Julien.*)

Houang Kia-tcheng et Pierre Leyris :

La voie qui peut s'énoncer
n'est pas la Voie pour toujours
Le nom qui peut la nommer
n'est pas le Nom pour toujours

(*En note : « Le texte peut signifier soit : " Le nom qui peut la nommer ", soit " Le nom qui peut être nommé ". Mais, selon la seconde acception, la Voie serait susceptible de recevoir un nom. »*)

Entre ces diverses nuances, ou couleurs, j'étais perplexe; or, voici surgir Duyvendak :

La Voie vraiment Voie est autre qu'une voie constante. Les Termes vraiment Termes sont autres que des termes constants.

Ce premier paragraphe, « fondamental pour la compréhension du livre entier », signifierait donc le contraire exactement de ce qu'y déchiffrent les autres traducteurs !

Arrêtons-nous un peu. M. Duyvendak joue cartes sur table et discute, en note, les sens traditionnels : « La Voie qui peut être suivie (ou : qui peut être exprimée par la parole) n'est pas la Voie éternelle. Le Nom qui peut être nommé n'est par le Nom éternel. L'idée serait de faire une distinction entre une Voie et un Nom éternels (un 'Noumenon') et une Voie et un Nom dans le monde des phénomènes qui sont les seuls dont on puisse parler. Cette conception me semble erronée. »

Pour justifier son interprétation, Duyvendak soutient que les mots tao (*voie*) *et* ming (*nom, terme*) *sont employés verbalement avec aspect factitif. Quant au* k'o *de* tao k'o tao *et de* ming k'o ming, *il faut l'entendre au sens de : être digne de, mériter de. Enfin,* tao, *qui peut signifier à l'occasion* parole, dire (*ce n'est du reste le cas que dans le* Tao tö king), *doit être pris au sens de* voie.

Duyvendak a raison pour une autre raison encore, qu'il ne précise pas, et qui me paraît évidente : si tao *était ici jeu de mots sur :* voie et dire, *les deux premières phrases se répéteraient, ou peu s'en faut. Enfin,* ming *étant pris* les deux fois *avec le sens de* mot, nom, terme, *le parallélisme suggère* (*mieux : exige*) *que* tao *soit pris* les deux fois *avec le même sens de* Voie. *Ceux qui estiment que je prouve ici ma vulgarité bien connue, de grâce, qu'ils ne lisent pas plus avant : toute pensée n'est rien, qui ne se conforme point au dictionnaire, à la grammaire. Bon. Si Duyvendak a raison, la* Voie *de Lao-tseu serait donc celle de Maître K'ong : bête comme chou, aussi bête que l'Héraclite du flux perpétuel, du* panta rei. *Car c'est bien Maître K'ong qui, devant une rivière, disait :*

« *Tout passe comme cette eau; rien ne s'arrête ni jour ni nuit* », *formule que reprendra Mao Tsö-tong dans le* ts'eu *qu'il composa après avoir franchi à la nage le Yang-tseu, et que je donne dans la version qu'en publia M. Paul Demiéville :*

> Le Maître l'a bien dit, sur les bord d'un cours d'eau : « Allons de l'avant, comme le flot s'écoule ! »

Non pas que tous les sinologues acceptent l'audace de Duyvendak. Derk Bodde la contesta dès 1954, dans le Journal of the American Oriental Society : « *La version hérétique de Duyvendak exige une extension sémantique de* k'o – *lequel veut généralement dire* est capable de *ou bien* est autorisé à – *en :* est légitimement autorisé à; *celle de* fei – *qui d'ordinaire signifie :* n'est pas – *en :* est autre que; *mais, surtout, elle est fondée sur ce que je considère comme une interprétation erronée du mot* tch'ang. » *Pour Derk Bodde, philologiquement et philosophiquement parlant, le sens traditionnel reste le bon; mais M. Paul Demiéville, l'un des hommes au monde qui connaissent le mieux le taoïsme, écrit en sens contraire : « L'inter-*

prétation de tao par “ mutabilité perpétuelle, constante inconstance ” (in inconstantia constans, *comme Benjamin Constant disait de lui-même*) *est discutable et sera discutée; elle choquera les belles âmes, éprise de* “ mystique comparée ” (*voir déjà le compte rendu du* Times Literary Supplement, *23 juillet 1954, p. 474*). *Elle a cependant pour elle de fortes autorités, par exemple cette phrase du Tchouang-tseu, chap. XIV :* pien houa ts'i yi, pou tchou kou tch'ang [...] *de quelque manière que l'on comprenne cette phrase* [...] *elle va à l'appui de l'interprétation de Duyvendak. » Diable ! diable ! Il faut encore aller voir. Impossible hélas de lire Tchouang-tseu en français autrement qu'à travers le P. Wieger, S. J. Allons-y*[1] *quand même. La phrase se trouve dans le chapitre où Pei-men Tch'eng parle avec l'Empereur Jaune de la symphonie* hien-tch'e, *qui le troubla diversement et fortement. Sur quoi l'Empereur Jaune lui en explique le sens cosmique : J'ai bien trouvé le texte chinois, p. 320, mais la traduction du Jésuite trahit à ce point l'original que je me demande où il a*

1. *Les Pères du système taoïste*, Brill, Les Belles-Lettres, 1950.

bien pu rendre ces huit caractères : pien houa ts'i yi, pou tchou kou tch'ang. *Reprenons tout ce passage, en français de Wieger : « La seconde partie de la symphonie rend, en sons doux ou forts, prolongés et filés, la continuité de l'action du* yinn *et du* yang, *du cours des deux grands luminaires, de l'arrivée des vivants et du départ des morts. C'est cette suite continue à perte de vue, qui vous a étourdi par son infinitude, au point que, ne sachant plus où vous en étiez, vous vous êtes appuyé contre le tronc d'un arbre en soupirant, pris du vertige et de l'anxiété que cause le vide. » Faut-il croire que Wieger prétend rendre* pien houa ts'i yi, pou tchou kou tch'ang *par « c'est cette suite continue à perte de vue » ? Si c'est là* traduire *du chinois, alors je me fais fort de traduire du tamoul, du peul, ou du mongol, dont je ne sais pas un traître mot.*

Toutefois, comme je ne me prends nullement pour un sinologue, je relirai plutôt le Tchouang-tseu *dans la version allemande qu'en fournit Richard Wilhelm, sous le titre* Das Wahrebuch vom südlichen Blütenland, *Iéna, 1920. Si je retraduis en français le passage, avec tous les risques d'une trahison au carré, voici ce que devient Maître Tchouang :*

« *Dans le second mouvement, ma musique suivait l'harmonie de la puissance originelle, lumineuse et obscure. J'y fis briller l'éclat du soleil et de la lune; de la sorte, les sons en pouvaient être tantôt brefs, tantôt longs, tantôt faibles, tantôt forts. Ils se renouvelaient et se transformaient, demeurant néanmoins dans un même mode* [*ou* : une même tonalité]. *Aucun motif n'y était dominant, de sorte qu'il y avait une mélodie perpétuelle* [*ou* : éternelle]. *Elle emplissait les vallées, elle emplissait les ravins; elle apaisait les regrets* [*ou : les* désirs]; *elle réconfortait l'esprit; elle donnait à toutes choses leur mesure. Ses sonorités se répandaient fort loin, son timbre était haut et clair. C'est pourquoi les esprits et les dieux protégeaient leur obscurité* [*ou :* se tenaient soigneusement cachés]. *Le soleil, la lune, les étoiles accomplissaient leur course. Je leur assignai leurs bornes définies grâce à la finitude. Je les fis se répandre, grâce à la perpétuité. Tu voulais la saisir* [*ma musique*], *mais tu ne pouvais pas la comprendre; tu regardais dans cette direction, mais tu ne pouvais rien voir; tu la poursuivais, mais ne pouvais l'atteindre. De sorte que tu restais debout, confondu, au bord du chemin qui s'en va vers le vide* [*le néant*]. *Tu t'appuyais sur ton luth et, t'en accompagnant, tu fredonnais.* »

Bien supérieur à Wieger, le texte allemand m'inquiète néanmoins. Ne serait-ce qu'à cause de ce luth *par quoi Wilhelm rend là le chinois* kao-wou. *Tous les dictionnaires donnent en effet ce sens-là, mais j'y vois ici un contresens, car* kao-wou *peut aussi désigner un arbre; je préfère donc l'interprétation de Wieger :* « *appuyé contre le tronc d'un arbre* »; *pour l'expression entre toutes importante :* pien houa ts'i yi, pou tchou kou tch'ang, *la version de Wilhem corrobore la tradition la plus répandue :* « Es war kein beherrschendes Motiv darin, so gab es eine ewige Melodie. » « *Aucun motif n'y était dominant, de sorte qu'il y avait une mélodie perpétuelle* [*ou :* éternelle]. » *Voilà qui contredirait Duyvendak, et M. Paul Demiéville.*

Une ressource me reste : l'excellente traduction polonaise, produite par un groupe de sinologues de Varsovie, sous la direction de feu Zablonski, cet ami avec qui jadis j'étudiais le chinois et au moins une fois célébrai le taoïsme en rivalisant d'ivresse. Oui, ils ont bien de la chance, ou de la légèreté, ceux qui prétendent que c'est facile comme tout, que c'est évident, le taoïsme : que c'est l'évidence même. Me voici qui retraduis le Czuang tsy *en question :*

« La seconde fois, je me mis à jouer l'accord [*ou : l'*harmonie] *de l'élément passif et de l'élément actif; j'y suscitai la lumière du soleil et de la lune. Les sons en pouvaient êtres brefs ou longs, délicats ou durs, mais tous les changements combinaient leur unité sans que dominât une trame constante. Il* [*ou :* Elle] *emplissait toutes les vallées, s'enfonçait dans tous les ravins; bouchait toutes les crevasses de la conscience et retenait l'esprit par la bride; donnait leur mesure aux créatures. Ses sonorités retentissaient amplement mais sa gloire* [*?*] *était sublime* (*comme le ciel*) *et claire* (*comme le soleil et la lune*)*. C'est pourquoi, mauvais ou bons, les esprits sont arrêtés dans leurs ténèbres. Le soleil, la lune, les étoiles et les constellations cheminent sur leur trajectoire* [*ou :* suivent leur course] *constante. Je les plaçai dans la finitude* (*de l'espace*) *en leur permettant de s'écouler dans la perpétuité* (*du temps*)*. Tu*

voulais y penser, mais tu ne pouvais pas le concevoir. Tu le regardais, mais ne pouvais le voir. Tu le poursuivais et ne pouvais l'atteindre. Tu t'arrêtais, confus, au carrefour; tu t'appuyais à un arbre dryandrowe, *et tu te mettais à fredonner.* »

Première gêne : nul dictionnaire polonais-français ne me donne l'adjectif neutre dryandrowe. *Pour le mot précédent, aucun doute, il s'agit bien d'*arbre *comme chez Wieger :* drzewo, *et voilà qui infirme Wilhelm. J'interroge, fais interroger plusieurs slavisants ou citoyens polonais; ils sèchent eux aussi sur* dryandrowe. *Qu'on revienne, après cela, me parler de la facilité, de l'évidence des textes taoïstes ! Enfin, deux sinologues français m'apprennent qu'un de leurs collègues polonais, M. Kunstler, vit à Paris. Je lui écris sur-le-champ, lui propose mes deux difficultés : le texte polonais de la phrase qui traduit* pien houa ts'i yi, pou tchou kou tch'ang *et l'expression* drzewo dryandrowe. *Quelques jours après j'obtenais sa réponse : « Le mot " dryandrowy " est un adjectif déterminant le mot " drzewo " – " arbre " et c'est un adjectif dénominatif du nom " dryandra ". Heureusement ce dernier mot* *n'est pas totalement mystérieux. Dans son* Dictionnaire des sciences... *le P. Charles Taranzano* (*vol. I français-chinois*) *énumère :* Dryandra oleifera, *Lam., ou* Dryandra cordata, *Thunb., ou* Aleurites cordata, *Steud., comme termes latins correspondant au* t'ong 桐 *chinois. Je ne connais pas les termes français qui correspondent aux deux premiers termes latins; le troisième désigne l'" aleurite " ou l'" abrasin ". Le même dictionnaire, sous " Aleurite/Abrasin ", donne :* Aleurites cordata, *Steud.,* Eloeococca vernicia, *A. Juss. et* Dryandra oleifera, *Lam. Il se peut alors que le terme polonais* (*qui correspond d'ailleurs à "* dryandra-tree *"* de Legge) *doive être rendu en français par "* aleurite *".*

« La question est cependant plus compliquée puisque le texte chinois du Tchouang-tseu *emploie l'expression* kao-wou. *Le caractère* kao *peut signifier " arbre sec ", mais le caractère* wou [...] *peut être employé pour* wou-t'ong, *" sterculier "* (sterculia platanifolia, *L.*). *Il se peut aussi que certaines éditions du* Tchouang-tseu (*ou certains commentaires*) *aient* wou-t'ong *au lieu de* kao-wou *ou même* kao-t'ong, *" aleurite sec ", ce qui sem-*

ble être la raison de la traduction polonaise et anglaise de cette expression. Malheureusement je n'ai pas pu le vérifier car, n'ayant pas le livre polonais, j'ignore [...] quelle était l'édition du Tchouang-tseu *utilisée par les traducteurs. »*

Quant à la phrase décisive, celle qui doit nous aider à définir le tao (étenel, *ou* inconstant ?), *M. Kunstler m'en proposait le mot à mot que voici : « Mais l'unité unissait toutes les transformations sans qu'il y régnât une trame constante. » Ce qui me fit extrêmement plaisir, puisque j'avais traduit : « Mais tous les changements combinaient leur unité sans que dominât une trame constante. »*

Cette fois, aucune ambiguïté : la musique parfaite, celle qui se modèle sur la nature du tao, n'a pas de trame constante, *et voilà qui* corrobore les commentaires de *M. Paul Demiéville à la version de Duyvendak.*

Quoi que prétende Derk Bodde par conséquent, et quelque dépourvu que je me sache devant son savoir, cette phrase du Tchouang-tseu *donne à Duyvendak une forte raison de tenir à sa traduction; à M. Demiéville de s'y tenir.*

La nouveauté, la force de sa version me

firent un long temps penser que je demanderais à ses ayants droit la faveur de la reprendre dans Connaissance de l'Orient.

Et puis, un beau jour, je vis arriver dans mon bureau, un peu échevelé comme à l'ordinaire, mais un peu plus véhément que de coutume, un philosophe chinois que je connais depuis dix ans, M. Liou Kia-hway. Contre certains sinologues, j'avais plaidé sa cause lors de sa soutenance, parce qu'à défaut d'un professeur d'histoire de la philosophie, j'avais décelé en lui un philosophe. Non pas un sage chinois à la façon de ceux dont s'entichait notre XVIIIe siècle. Un Chinois, plutôt, que les esprits posés prendraient pour un exalté, un fou du tao, comme on dit en Islam : un fou de Dieu. D'un cartable passablement hétérodoxe et taoïste, il me sortit des papiers griffonnés d'une haute écriture, penchée, fiévreuse, aiguë, violente, la sienne. Avec la volubilité de l'inventeur qui a trouvé, il me brandit sous le nez une page où je finis par pouvoir lire les caractères t'ien hia wang. Pour la première fois depuis qu'il y a des gens qui s'appliquent à les rendre en français, M. Liou avait compris ces mots si « simples », si « clairs », que tout le monde *depuis Stanislas Julien s'accordait sur leur sens :*

Stanislas Julien :

> Le Saint garde la grande image (le Tao) et tous les peuples de l'empire accourent à lui.

Wieger, S. J. :

> Parce qu'il ressemble au grand prototype (le Principe, par son dévouement désintéressé), tous vont au sage.

Salet :

> Conservez dans votre cœur la grande idée (du Tao), et le monde viendra à vous.

Houang Kia-tcheng et Pierre Leyris :

> Qui possède le Grand Symbole
> Tous s'en vont à lui sous le Ciel.

Duyvendak :

> Celui qui tient la grande image, tout le monde accourt à lui.

« *Les peuples de l'empire accourent à lui* », « *tous vont au sage* », « *et tout le monde viendra à vous* », « *tous s'en vont à lui sous le ciel* », « *tout le monde accourt à lui* », *autant de façons très voisines de rendre* t'ien hia wang; t'ien hia *est pris avec son sens ordinaire : le monde, tout le monde;* wang (*aller*) *a pour sujet* t'ien hia. *Celui même qui traduit « t'ien hia » selon l'étymologie ne le fait que pour la beauté de la phrase, et comme pour développer le « tous » (« tous* [...] *sous le Ciel »)* : *car où prendre l'idée de* tous, *sinon dans l'expression* t'ien hia, *sentie comme sujet du verbe* wang ? *L'avouerai-je ? Pas une fois je n'avais douté du sens de cette phrase. Pas une fois, jusqu'à cette visite de M. Liou, elle ne m'avait gêné, ni du reste exalté, le moins du monde. De plus en plus véhément, c'est tout juste si M. Liou ne me saisissait pas le revers du veston (j'aime bien, moi, ceux qui pensent assez fort pour vous secouer le paletot) et m'expliquait son* intuition (*il abuse un peu de ce mot, mais enfin c'est un philosophe, et même, je l'ai dit, une façon de taoïste*); *dans l'expression* t'ien hia wang *il faut entendre* t'ien hia *au sens propre, astronomique, de l'expression, en effet* : sous le ciel; *mais alors il n'y a pas de sujet pour* wang, *sinon « celui qui tient la grande image »* (*ou « qui possède le grand symbole »*). *Dès lors, vous me suivez, l'ensemble signifie quelque chose de neuf :*

> Celui qui détient la grande image
> peut parcourir le monde.
> Il le fait sans danger
> partout il trouve paix, équilibre et tranquillité.

Irréprochable du point de vue sémantique et syntaxique, cette interprétation est philosophiquement bien supérieure aux autres. Le saint du taoïsme étant un ermite, un homme qui fait retraite, il se soucie peu de voir accourir vers soi des disciples, le monde entier. *Qu'en ferait-il, de tous ces peuples de l'empire ? Que le sage ou le saint taoïste puisse, invulnérable, parcourir seul toute la terre, voilà le bon chemin, voilà sûrement le tao.*

Pour cette seule trouvaille, j'aurais embrassé M. Liou; ça ne se fait pas. Je me contentai de l'assurer que, n'eût-il que cette nouveauté à nous proposer, elle méritait une traduction nouvelle. Après Waley, après Stanislas Julien et Duyvendak, renouveler le sens d'un des quatre-vingt-un chapitres du Tao tö king, *il y avait là de quoi me séduire.*

Voilà pourquoi vous allez lire un Tao tö king *de M. Liou Kia-hway. Mon coup de tête, qui seconda si heureusement son intuition, je ne le regrette pas, car, en plus d'un endroit, M. Liou apporte du nouveau.*

Rien d'étonnant. Pour la première fois en France, le Tao tö king *est entièrement traduit par un Chinois*[1] *qui, malgré plus de vingt ans passé chez nous, se sent, se veut chinois, et l'est plus que nature. Fou de* tao *comme de ses pierres Mi Fei. Peu sérieux, tant il est grave. Abrupt, difficile, comme la pensée, la langue de ses maîtres. Tout prêt à vous insulter, si ça lui chante; quitte le lendemain à redevenir amical et confiant. Proche de ces bouddhistes, adeptes du* tch'an, *qui définissent le Bouddha :* un bâton à fouiller la merde. *En ceci encore digne d'estime, que la connaissance qu'il a de nos philosophes ne l'a point égaré vers nos religions. Bref, un Chinois intact. Le P. Houang Kia-tcheng, dont je fais cas, en ceci me gêne quand il traduit le* Tao tö king *qu'il renie cette pensée pour adopter l'orthodoxie romaine. Sans*

1. Il existe en anglais une dizaine au moins de *Tao tö king* traduits par des Chinois.

doute, Chinois qu'il est, il a su éviter les outrances du P. Wieger; mais enfin, il n'est pas taoïste.

J'attendais avec gourmandise la version que M. Liou proposerait des deux premières phrases; allait-il opter pour Duyvendak, ou pour la version habituelle? Ce diable d'homme s'en tire en choisissant un troisième terme, dirai-je dialectique? qui laisse le sens ouvert :

> Le Tao qu'on tente de saisir n'est pas le Tao lui-même;
> le nom qu'on veut lui donner n'est pas son nom adéquat.

Non pas que sa ruse me satisfasse tout à fait, car Tchouang-tseu (ou du moins le Tchouang-tseu) *employait le même mot* tch'ang *pour qualifier le* tao *et le* ming, *la* voie *et le* nom, *alors que M. Liou s'en tire en disant une fois : « le Tao* lui-même » *et, la ligne suivante : «* son nom adéquat ». *Je regrette d'autant plus sa prudence que, traduisant à son tour le* Tchouang-tseu, *pour la collection Connaissance de l'Orient, où vous le lirez bientôt, il a fort bien compris les huit caractères dont je parlais à l'instant :* pienhoua ts'i yi, pou tchou kou tch'ang : « *Ils font un avec le changement et ne demeurent dans aucun état constant.* »

Je me garderai pourtant de lui reprocher, là, son audace, ici, quelque prudence, puisque nous lui devons le seul Tao tö king *traduit chez nous par un Chinois, et senti, pensé à la chinoise. Je lui sais même gré de n'avoir pas dédaigné de rendre sa version plus heureuse souvent que celle de Duyvendak. Il est vrai que le* Tao tö king *enseigne que parole sincère (ou vraie) n'est point belle, que belle parole n'est point vraie (ou sincère). N'y a-t-il pas là de quoi condamner tout effort pour traduire agréablement les aphorismes du* Vieux ? *Mais alors, pourquoi prit-il le soin, ce* Vieux, *d'écrire très bien ses poèmes, avec densité, parallélisme et rimes ? Parce qu'elles sont belles en vérité, ses paroles, manquent-elles donc de sincérité ?*

Allons, point de sophismes. Essayons plutôt de conjurer quelques-uns des maléfices dont pâtit chez nous la pensée qu'on appelle un peu grossièrement « taoïste » (comme si les taoïstes *eussent découvert et monopolisé le* tao). *K'ong-tseu, Mö-tseu, c'est à qui emploiera ce mot-là, quitte à lui donner des sens incompatibles.*

Qu'il soit malaisé de définir le taoïsme, j'en veux pour preuve les gloses qui obscurcissent plus qu'elles n'éclairent le Li Sao *de K'iu Yuan, traduit chez nous, fort mal, par d'Hervey de Saint-Denys : Maspero, versé en taoïsme, y voit un grand poème de l'école, mais deux sinologues des Etats-Unis, H. G. Creel et J. Hightower, y admireraient volontiers une œuvre confucéenne. Tchouang-tseu peut-il se comparer à nos « mystiques » ? Oui, pour Maspero; non, selon Marcel Granet, qui voit en cette dialectique une œuvre « intellectuelle ». Tchouang-tseu rechercherait-il l'immortalité corporelle à quoi nos vieilles coquettes à la page voudraient ravaler la doctrine taoïste ? Et que je te ressasse le texte, le seul, où Tchouang-tseu mentionne l'ascension du saint; or, ce texte-là, Kouo Mo-jo, Giles et Legge le jugent interpolé. Au nom du taoïsme, le* Lu-che tch'ouen-ts'ieou *se moquait déjà de ceux qui prétendent à l'immortalité.*

Sous l'étiquette « taoïste », distinguons avec soin deux écoles ennemies : d'une part un « taoïsme » magico-religieux, chargé de souvenirs chamaniques, obsédé par la mort qu'il espère vaincre à force de techniques alimentaires et sexuelles; secte grossière, avide surtout de recettes de bonne femme, et parfois égarée en partouzes; de l'autre, un petit groupe de sages, de philosophes (*ne disons pas de « mystiques » ou alors Caillois sera « mystique », lui qui dans* Pierres *se rêve pierre, mais pierre sur laquelle on ne bâtit aucune église*)*; pour eux la mort n'est rien qu'un retour au* tao. *Insoucieux par conséquent de survie, dialecticiens parfois, étrangers toujours à toute transcendance, à tout Dieu « créateur » du monde : Tchouang-tseu, Lie-tseu, Houai Nan-tseu et notre* Vieux : *Lao-tseu. Encore faut-il aussitôt distinguer deux tendances et fort opposées. D'un taoïsme* contemplatif (*plutôt* contemplatif *en effet que* mystique) *celui du Tchouang-tseu, H. G. Creel distingue un taoïsme qu'il qualifie de « purposive », et qu'il conviendrait peut-être aujourd'hui d'appeler* politique, engagé, « activiste », *celui précisément de notre* Vieux. *C'est aussi le sentiment d'Arthur Waley : pour lui, Tchouang-tseu propose à des individus, à des adeptes, un mode de vie, alors que le* Tao tö king *enseigne au prince l'art de gouverner sans que les sujets sachent seulement qu'on les tyrannise* (*l'histoire chinoise démontre à satiété quel profit certains souverains surent tirer de ce taoïsme-là*) :

> Si le peuple est difficile à gouverner cela vient de l'excès de son intelligence.
> Qui gouverne un Etat en usant de son intelligence en sera le malfaiteur.
> Qui gouverne un Etat sans l'aide de son intelligence en sera le bienfaiteur.

Sans oublier le couplet sur les sujets du prince qu'il faut traiter en « chiens de paille », ces chiens que l'on brûlait jadis après les sacrifices... Parlez-moi après cela de la « liberté » *taoïste ! Chez Tchouang-tseu, oui. Chez* le Vieux, *vous vous moquez ! Nos nazis le savent si bien qu'ils se sentent pour Lao-tseu une dilection singulière. Ils l'ont bien compris, à cet égard du moins.*

Reste à savoir si nous devons tirer le Vieux *au chamanisme, à la secte superstitieuse des* sien-tao, *selon le commentaire de Ho Chang-kong, ou au contraire l'en tenir pour indemne, avec les gloses de Wang Pi. Etant donné que le* sien-tao *est un mélange de chamanisme, de magie, de mohisme et, plus tardivement, de bouddhisme, ne faisons point au* Vieux *l'injure de le confondre avec ces têtes folles.*

Le taoïsme du Vieux *en ceci coïncide avec celui du* Tchouang-tseu *ou du* Lie-tseu, *qu'il conçoit le* tao *comme une méthode à la fois, une* voie, *selon l'étymologie (la voie de l'univers, et dans cet univers celle de chacun des « dix mille êtres »), et d'autre part un concept étranger à notre philosophie : selon le* tao *le « il y a quelque chose »* (yeou) *sort du « il n'y a rien »* (wou) *par une efficace immanente (le* tao) *et sans qu'on doive invoquer le geste d'un créateur, l'intervention d'un démiurge. L'alternance du* yin *et du* yang (*nous serions tentés de transposer : de la matière et de l'énergie) explique tout et chacun. Toutes choses sont un. Relativisme généralisé, par conséquent : qu'importe ceci ou cela, puisque ceci est le cela de ceci, cela le ceci de cela. Laisson faire, laissons passer. Durant notre bref passage, insérons-nous dans le cosmos, abandonnons notre prétention à exister par nous-mêmes, vidons-nous de notre moi, soyons heureux comme les pierres, inertes mais féconds autant que la motte de terre. Les connaisseurs du taoïsme sont d'accord là-dessus, tous. Dans la* Rivista critica di storia della filosofia *je lisais l'autre mois une étude qui voit dans le* tao *du* Vieux la realtà tutta nel suo continuo divenire, *la réalité tout entière considérée dans son devenir sans fin, le flux de tout vers l'entropie, en termes de sciences physiques. Oui, c'est cela, et bien dans le sens de Duyvendak. Oui, « seul un mort pourrait faire un bon taoïste ».*

Lao-tseu ? un Rousseau à la puissance n. *Il hait le fil à plomb, l'équerre, le tissage, et (juridique, moral, esthétique) tout ordre humain.* Lobet die Nacht, dit Kalt, die Finsternis, *chante chez nous Bertolt Brecht. Lao-tseu : louons le bas, le court, le mal et le malheur; car c'est le sublime, l'infini, le bien et le bonheur.*

M. Liou approuverait-il ce schéma ? Pour lui,

le Tao = le Néant;
l'Un = l'Etre.

Les êtres participent à L'un en tant qu'il est quelque chose de très négatif, de presque rien. La multiplicité cosmique et l'unité onto-

logique se situent sur le même plan, de sorte que nous ne pouvons concevoir un auteur de l'univers. En aspirant à l'Etre, Lao-tseu obtient le Néant. Est-ce donc si différent de ce que je comprends ? L'Etre, le Néant : deux noms que nous accolons, selons nos préférences affectives, notre déterminisme viscéral, à cette inaptitude où nous sommes d'expliquer pourquoi et comment il y a quelque chose plutôt que rien. En discutant avec M. Liou j'ai toutefois cru comprendre qu'il y aurait pour lui une « identité permanente » du tao, *qui élude notre effort pour la saisir par les sens (mystique) ou par l'intelligence (discours, sciences, philosophie). Voilà sans doute pourquoi, bien qu'il ait compris le* Tchouang-tseu *comme M. Paul Demiéville, sa traduction du* Tch'ang, *à la première phrase du* Tao tö king, *n'a pas la brutale franchise de celle que proposait Duyvendak. Mais il pense lui aussi que l'Etre et le Néant ne représentent que les deux noms d'une seule ignorance qui de son insondable obscurité nous éblouit.*

De la métaphysique si nous passons à la pratique, que faut-il entendre aux formules du Vieux ? *Avant tout, que la force est fai-*

blesse, et la faiblesse, force; l'eau use la pierre, qui n'use point l'eau (cela se discute : voyez la meule). Ne nous égarons pas à prétendre qu'il recommande la lâcheté. Plutôt tient-il que l'emploi quand il le faut de la faiblesse requiert beaucoup de force. « Percevoir le plus petit, voilà la clairvoyance. Garder la douceur, voilà la force d'âme », dit M. Liou (Duyvendak : « S'en tenir au faible, c'est être fort », et Stanislas Julien : « Celui qui conserve la faiblese s'appelle fort »). Ne voyons point en Lao-tseu un homme qui, lui gifle-t-on la droite, aussitôt tend la joue gauche.

Simplement il adopte la statégie qui sera au XVIIIe *siècle celle de Saxe, au* XXe *celle en Arabie de T. E. Lawrence et des Viêt-congs chez eux. Pour Lao-tseu, il n'est pire danger que de prendre son ennemi à la légère. Ce serait à coup sûr perdre tout. Fort de sa métaphysique, ce que sagement conseille* le Vieux, *c'est de savoir faire la guerre : « Un véritable chef de guerre n'est pas belliqueux; un véritable guerrier n'est pas coléreux » (ou « colérique »); aussi, de n'être jamais là où vous attendra l'adversaire, car celui-là vaincra qui cède à propos (principe en effet du judo, dont nul ne prétendra que c'est un art de la paix). Avec M. Liou je crois que l'éloge de la « faiblesse »,* au Tao tö king, *ne signifie nullement quelque mansuétude inoffensive.* Le Vieux *enseigne à vaincre : dérobez-vous aux attaques frontales. Mais aussi : battez-vous sans aimer la guerre. Vous n'en combattrez que mieux. Nous connaissons l'antienne et savons hélas que les nazis, les Japonais, qui aimaient la guerre, ne se battaient pas aussi mal qu'ils devraient le faire d'après le* Tao tö king. *Mais les Viêt-congs se battent aussi bien, sinon mieux, en se dérobant, et par haine de la guerre que leur impose Washington. (Voilà qui justifie* le Vieux.)

En politique intérieure, Lao-tseu n'est pas plus anodin. Parce qu'il désire se placer « au-dessus du peuple », son Prince doit « s'abaisser en paroles »; le peuple alors ne s'apercevra pas qu'on le mène, et mène dur, qu'on le traite en « chien de paille ». Contrairement à ce que répètent sur Lao-tseu ceux qui le connaissent mal, sa théorie du pouvoir n'est pas étrangère à celle qu'élaboreront les gens du fa-kia, *ces légistes, légalistes, ou réalistes qui, poussant à leur extrême conséquence les principes du* Tao tö king, *traiteront en effet le peuple comme chiens de paille, et prépareront le pouvoir absolu de Ts'in Che-houang-ti; mais si l'alternance des contraires gouverne le cosmos et les sociétés d'humains, si guerre et paix sont l'une à l'autre comme le* yang *au* yin, *comment l'état de paix, temps de repos entre deux massacres cosmiques, prévaudrait-il un jour contre l'alternance irrépressible du* tao ? *Toute philosophie naturiste justifie l'état de guerre, qui est celui de la nature, végétale et animale. Si la paix l'emporte jamais sur la guerre, ce ne sera donc pas en vertu des aphorismes de ce* Tao tö king, *mais parce que des hommes raisonnables, qui ne font pas fi de l'intelligence, auront substitué à l' « ordre » du gaspillage – celui de la nature – à l' « ordre » des charniers – celui de Dieu – un ordre* contre nature, *juridique et moral;* un ordre intelligent; *celui précisément que répudie Lao-tseu.*

Et maintenant, lisez le Tao tö king. *N'oubliez pourtant pas que pour en goûter les beautés fulgurantes, celles de l'écriture (langue, rimes, parallélisme), il vous faut absolument apprendre du chinois. Vous comprendrez alors que ces beautés (techniciennes qu'elles sont, suprêmement intelligentes) effacent et nient les valeurs prônées par l'écrivain, quel qu'il soit, à qui nous devons cette abrupte anthologie.*

Etiemble.

P.-S. – J'oubliais : L'étymologie de tao *n'a rien à voir, bien entendu, ni avec la barque d'Isis, ni avec l'échelle de Jacob, ni même avec les soucoupes volantes. Le caractère* tao *est formé de deux éléments dont l'un signifierait* le chemin, marcher, *l'autre :* la tête. *Le* tao *ce serait donc* la grand-route; Hauptweg, *comme dit le sinologue allemand Forke. En fait, cette glose étymologique, elle non plus, ne convaincrait pas beaucoup de sinologues. Prenons-en notre parti. « Je suis le chemin », disait l'autre; l'autre encore : « J'écris le* Discours de la méthode. » *Etc.*

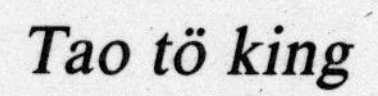

Tao tö king

I

Le Tao qu'on tente de saisir n'est pas le Tao
lui-même;
le nom qu'on veut lui donner n'est pas son
nom adéquat.

Sans nom, il représente l'origine de l'univers;
avec un nom, il constitue la Mère de tous les
êtres.

Par le non-être, saisissons son secret;
par l'être, abordons son accès[1].

1. Nous adoptons l'interprétation du caractère *Kiao* par Tchou Tsiun-cheng au point de vue phonétique :

Kiao = K'iao = orifice (*a*)

(*a*) *T'ong-hiun ting-cheng*, 814 *a*, CWK T KI.

Non-être et Etre sortant d'un fond unique
ne se différencient que par leurs noms.
Ce fond unique s'appelle Obscurité.

Obscurcir cette obscurité,
voilà la porte de toute merveille[1].

1. Nous adoptons la ponctuation de ce premier chapitre par Tchou K'ien-tche, *Lao-tseu kiao-che*, pp. 2-4, sans pouvoir le suivre dans ses interprétations philosophique et philologique.

II

Tout le monde tient le beau pour le beau,
c'est en cela que réside sa laideur.
Tout le monde tient le bien pour le bien,
c'est en cela que réside son mal.

Car l'être et le néant s'engendrent.
Le facile et le difficile se parfont.
Le long et le court se forment l'un par
l'autre.
Le haut et le bas se touchent.
La voix et le son s'harmonisent.
L'avant et l'après se suivent.

C'est pourquoi le saint adopte
la tactique du non-agir,
et pratique l'enseignement sans parole.

Toutes choses du monde surgissent
sans qu'il en soit l'auteur[1].

Il produit sans s'approprier,
il agit sans rien attendre,
son œuvre accomplie, il ne s'y attache pas,
et puisqu'il ne s'y attache pas,
son œuvre restera.

1. Se référant à plusieurs copies anciennes du livre et aux textes anciens qui expriment les mêmes idées de Lao-tseu, Tchou K'ien-tche a établi que « non-expression », selon les copies actuelles de Ho-Chang-kong et de Wang Pi, doit être originellement « non devenir commencement » (*Lao-tseu kiao-che*, pp. 6-7). La raison pour laquelle nous acceptons l'avis de Tchou est la suivante : seule cette correction peut exprimer la synthèse concrète des deux contraires et par là l'effacement volontaire du sage taoïste, qui domine tout le chapitre.

III

Ne glorifie point les hommes de mérite
pour que le peuple ne dispute pas.
N'estime pas les trésors recherchés
pour que le peuple ne les vole pas.
N'exhibe point ce qui porte à l'envie
pour que son âme ne soit pas troublée.

Le gouvernement du saint
consiste à vider l'esprit du peuple,
à remplir son ventre,
à affaiblir son ambition,
à fortifier ses os.

Le saint agit en sorte que le peuple n'a ni savoir ni désir
et que la caste de l'intelligence n'ose pas agir.
Pratique le non-agir,
tout restera dans l'ordre.

IV

Le Tao est comme un vase
que l'usage ne remplit jamais.
Il est pareil à un gouffre,
origine de toutes choses du monde.

Il émousse tout tranchant[1],
Il dénoue tout écheveau[2],
Il fusionne toutes lumières[3],
Il unifie toutes poussières[4].

Il semble très profond,
il paraît durer toujours.
Fils d'un je ne sais qui
il doit être l'aïeul des dieux.

1. Symbole de l'éminence.
2. Symbole du conflit.
3. Symbole des qualités.
4. Symbole des défauts.

V

L'univers n'a point d'affections humaines;
toutes les choses du monde lui sont comme
chien de paille[1].
Le saint n'a point d'affections humaines;
Le peuple lui est comme chien de paille.

L'univers est pareil à un soufflet de forge;
vide, il n'est point aplati.
Plus on le meut, plus il exhale,
plus on en parle, moins on le saisit,
mieux vaut s'insérer en lui.

1. Voici un passage de Tchouang-tseu dans son XIVe chapitre :
« ... Avant l'offrande, on met les chiens de paille dans des coffres ou corbeilles, enveloppés de broderies de couleur, tandis que le représentant du mort et le prieur se purifient par l'abstinence pour les présenter. Après l'offrande, les passants marchent sur leur tête et leur tronc, les ramasseurs d'herbes les prennent pour allumer leur feu, et c'en est fait d'eux... »

VI

L'esprit de la vallée ne meurt pas[1].
Là réside la femelle obscure;
dans l'huis de la femelle obscure
réside la racine de l'univers.

Subtil et ininterrompu, il paraît durer;
sa fonction ne s'épuise jamais.

1. J'adopte l'explication de la première phrase chinoise par Yen fou *in* Tchou K'ien-che, *Lao-tseu kiao-che*, p. 17 : « Parce qu'il est vide, on l'appelle " vallée "; parce qu'il s'adapte à une infinité de cas, on l'appelle " esprit "; parce qu'il ne s'épuise jamais, on l'appelle " ne meurt pas ". " Vacuité ", " imprévisibilité " et " immortalité ", voilà trois vertus du Tao. »

VII

Le ciel subsiste et la terre dure,
Pourquoi le ciel subsiste-t-il, et la terre dure-t-elle ?
Parce qu'ils ne vivent pas pour eux-mêmes.
Voilà qui les fait durer.

Le saint se met en arrière.
Il est donc mis en avant.
Il néglige son moi
et son moi se conserve.
Parce qu'il est désintéressé,
ses propres intérêts sont préservés.

VIII

La bonté suprême est comme l'eau
Qui favorise tout et ne rivalise avec rien.
En occupant la position dédaignée de tout humain,
elle est plus proche du Tao.

Sa position est favorable.
Son cœur est profond.
Son don est généreux.
Sa parole est fidèle.
Son gouvernement est en ordre parfait.
Elle remplit sa tâche.
Elle agit à propos.

En ne rivalisant avec personne,
elle est irréprochable.

IX

Mieux vaut renoncer
Que tenir un bol plein d'eau.
L'épée que l'on aiguise sans cesse
ne peut pas conserver longtemps son tranchant.
Une salle remplie d'or et de jade
ne peut être gardée par personne.
Qui se gonfle de sa richesse et de ses honneurs s'attire le malheur.
« L'œuvre une fois accomplie, retire-toi »,
telle est la loi du ciel.

X

Ton âme peut-elle embrasser l'unité
sans jamais s'en détacher ?
Peut-tu concentrer ton souffle
pour atteindre à la souplesse d'un nouveau-né ?
Peux-tu purifier ta vision originelle
jusqu'à la rendre immaculée ?
Peux-tu aimer le peuple et gouverner l'état par le non-agir ?
Peux-tu ouvrir et clore les célestes battants
en jouant le rôle féminin ?
Peux-tu tout voir et tout connaître
sans user de l'intelligence ?

Produire et faire croître,
produire sans s'approprier,
agir sans rien attendre,
guider sans contraindre,
c'est la vertu suprême[1].

1. Notre traduction française repose sur le texte chinois établi par Duyvendak, *Le Livre de la voie et de la vertu*, p. 22, et par Tchou K'ien-tche *Lao-tseu kiao che*, pp. 23-26, mais je conserve le dernier paragraphe qui, supprimé par Duyvendak, représente une conclusion importante de l'auteur.

XI

Trente rayons convergent au moyeu
mais c'est le vide médian
qui fait marcher le char.

On façonne l'argile pour en faire des vases,
mais c'est du vide interne
que dépend leur usage.

Une maison est percée de portes et de fenêtres,
c'est encore le vide
qui permet l'habitat.

L'Etre donne des possibilités,
c'est par le non-être qu'on les utilise.

XII

Les cinq couleurs aveuglent la vue de l'homme,
les cinq tons assourdissent l'ouïe de l'homme,
Les cinq saveurs gâtent le goût de l'homme,
les courses et les chasses égarent le cœur de l'homme,
la recherche des trésors excite l'homme à commettre le mal.

C'est pourquoi le saint s'occupe du ventre[1] et non de l'œil[2].
C'est pourquoi il rejette ceci et choisit cela.

1. Le ventre symbolise les exigences physiques de l'homme.
2. L'œil symbolise les désirs artificiels fabriqués par l'intelligence de l'homme.

XIII

Faveur et disgrâce surprennent également.
Chéris un grand malheur comme ton propre corps.

Qu'entend-on par « Faveur et disgrâce surprennent également » ?
La faveur élève et la disgrâce abaisse.
Obtient-on la faveur, on est surpris.
La perd-on, on est encore surpris.
Tel est le sens de « Faveur et disgrâce surprennent également ».

Qu'entend-on par « chéris un grand malheur comme ton propre corps » ?
Ce qui fait que j'éprouve un grand malheur, c'est que j'ai un corps.
Si je n'avais pas de corps, quel malheur pourrais-je éprouver ?

Quiconque chérit son corps pour le monde
peut vivre dans le monde.
Quiconque aime son corps pour le monde
peut se fier au monde[1].

1. Ces deux dernières phrases sont susceptibles de trois versions différentes.

La version selon Duyvendak :

« C'est pourquoi, celui qui gouverne l'empire comme il prise son propre corps, c'est à celui-là qu'on peut confier l'empire; et celui qui gouverne l'empire comme il aime son propre corps, c'est à celui-là qu'on peut donner la charge de l'empire » (*Le Livre de la voie et de la vertu,* p. 31).

La version selon l'interprétation de Tchou K'ien-tche :

« C'est pourquoi celui qui chérit davantage son propre corps que le monde entier, c'est à celui-là qu'on peut confier le gouvernement du monde; celui qui aime davantage son propre corps que le monde entier, c'est à celui-là qu'on peut confier le gouvernement du monde » (*Lao-tseu kiao-che,* pp. 31-32).

Nous proposons une version que nous croyons cadrer davantage avec le contexte du chapitre. Mais nous laissons au lecteur la liberté de réfléchir sur ces trois versions également autorisées par le texte chinois et de juger laquelle s'accorde mieux avec le chapitre dans son ensemble, avec le livre entier.

XIV

Le regardant, on ne le voit pas, on le nomme
l'invisible.
L'écoutant, on ne l'entend pas, on le nomme
l'inaudible.
Le touchant, on ne le sent pas, on le nomme
l'impalpable.
Ces trois états dont l'essence est indéchif-
frable
Se confondent finalement en un.

Sa face supérieure n'est pas illuminée,
Sa face inférieure n'est pas obscure.
Perpétuel, il ne peut être nommé,
ainsi il appartient au royaume des sans-
choses.
Il est la forme sans forme et l'image sans
image.
Il est fuyant et insaisissable.

L'accueillant, on ne voit pas sa tête,
le suivant, on ne voit pas son dos.

Qui prend les rênes du Tao antique
dominera les contingences actuelles.
Connaître ce qui est l'origine,
c'est saisir le point nodal du Tao.

XV

Les sages parfaits de l'Antiquité étaient si fins,
si subtils, si profonds et si universels qu'on ne pouvait les connaître.
Ne pouvant les connaître, on s'efforce de se les représenter :
Ils étaient prudents comme celui qui passe un gué en hiver;
hésitants comme celui qui craint ses voisins;
réservés comme un invité;
mobiles comme la glace qui va fondre;
concentrés comme le bloc de bois brut;
étendus comme la vallée;
confus comme l'eau boueuse.

Qui sait par le repos passer peu à peu du trouble au clair[1]
et par le mouvement du calme à l'activité[2] ?
Quiconque préserve en lui une telle expérience
ne désire pas être plein.
N'étant pas plein, il peut subir l'usage et se renouveler[3].

1. C'est l'expérience régressive par laquelle le saint taoïste remonte du monde empirique toujours brouillé à la lumière ontologique.
2. C'est l'expérience progressive par laquelle le saint taoïste descend de sa quiétude ontologique pour régénérer l'univers empirique.
3. Nous acceptons l'interprétation de Yi Chouen-ting, citée et réfutée par Tchou K'ien-tche, *Lao-tseu kiao-che*, p. 40. Car cette interprétation sait mettre en relief une synthèse concrète du neuf et de l'usagé par le vide indifférencié, qui est l'image de l'indétermination ontologique.

XVI

Atteins à la suprême vacuité
et maintiens-toi en quiétude,
Devant l'agitation fourmillante des êtres
ne contemple que leur retour.

Les êtres divers du monde
feront retour à leur racine.
Faire retour à la racine, c'est s'installer dans
    la quiétude;
S'installer dans la quiétude, c'est retrouver
    l'ordre;
Retrouver l'ordre, c'est connaître le constant;
Connaître le constant, c'est l'illumination.

Qui ne connaît le constant
crée aveuglément son malheur.
Qui connaît le constant sera tolérant.
Qui est tolérant sera désintéressé.

Qui est désintéressé sera royal.
Qui est royal sera céleste.
Qui est céleste fera un avec le Tao.
Qui fait un avec le Tao vivra longtemps.
Jusqu'à la fin de sa vie, rien ne saurait l'atteindre.

XVII

Le Maître éminent est ignoré du peuple[1].
Ensuite vient celui que le peuple aime et loue[2].
Puis celui qu'il redoute[3].
Enfin celui qu'il méprise[4].

Si le maître n'a qu'une confiance insuffisante en son peuple,
celui-ci se méfiera de lui.

Le Maître éminent se garde de parler
Et quand son œuvre est accomplie et sa tâche remplie
le peuple dit : « Cela vient de moi-même. »

1. Celui qui dirige le peuple par le Tao.
2. Celui qui le dirige par la bonté et la justice.
3. Celui qui le dirige par l'intelligence et le savoir.
4. Celui qui le dirige par l'industrie et le profit.

XVIII

L'abandon du Tao
fait naître la bonté et la justice.
L'intelligence et le savoir
entraînent le grand artifice.
La discorde des six parents[1]
fait surgir la piété filiale de l'amour paternel.
La nuit et le désordre du royaume
provoquent la loyauté et la bonne foi[2].

1. Le père et le fils, le frère aîné et le frère cadet, le mari et la femme.
2. Notre traduction repose sur la copie de Kiai Tch'ouan-yuan, citée par Tchou K'ien-tche, *Lao-tseu kiao-che*, p. 46.

XIX

Rejette la sagesse et la connaissance,
Le peuple en tirera cent fois plus de profit.

Rejette la bonté et la justice,
Le peuple reviendra à la piété filiale et à l'amour paternel.

Rejette l'industrie et son profit,
Les voleurs et les bandits disparaîtront.

Si ces trois préceptes ne suffisent pas,
ordonne ce qui suit :
discerne le simple et étreins le naturel,
réduis ton égoïsme et refrène tes désirs.

XX

Abandonner l'étude c'est se délivrer des soucis.
Car en quoi diffèrent
oui et non ?
En quoi diffèrent
bien et mal ?
On doit redouter cette étude que les hommes redoutent,
Car toute étude est interminable.

Tout le monde s'échauffe et s'exalte
comme s'il festoyait au cours d'un grand sacrifice,
ou qu'il montât sur les terrasses du Printemps.
Moi seul je reste imperturbable
comme un nouveau-né qui n'a pas encore ri.

Moi seul j'erre sans but précis
comme un sans-logis.

Tout le monde a sa richesse,
moi seul parais démuni.
Mon esprit est celui d'un ignorant
parce qu'il est très lent.
Tout le monde est clairvoyant
moi seul suis dans l'obscurité.
Tout le monde a l'esprit perspicace,
moi seul ai l'esprit confus
qui flotte comme la mer, souffle comme le vent.
Tout le monde a son but précis,
moi seul ai l'esprit obtus comme un paysan.

Moi seul, je diffère des autres hommes
parce que je tiens à téter ma Mère.

XXI

La caractéristique d'une grande vertu
réside dans son adhésion exclusive au Tao.

Le Tao est quelque chose de fuyant et d'insaisissable.
Fuyant et insaisissable, il présente cependant quelque image,
insaisissable et fuyant, il est cependant quelque chose.
Profond et obscur, il contient une sorte d'essence.
Cette sorte d'essence est très vraie
et comporte l'efficience.

Depuis l'antiquité
son essence n'a pas varié.

Pour le comprendre
il suffit d'observer le germe de tout être.
Comment puis-je connaître le germe de tout être ?
Par tout ce que je viens de dire.

XXII

Qui se plie restera entier,
Qui s'incline sera redressé,
Qui se tient creux sera rempli,
Qui subit l'usure se renouvellera,
Qui embrasse peu acquerra la connaissance sûre,
Qui embrasse beaucoup tombera dans le doute.

Ainsi le saint embrassant l'unité
deviendra le modèle du monde.
Il ne s'exhibe pas et rayonnera.
Il ne s'affirme pas et s'imposera.
Il ne se glorifie pas et son mérite sera reconnu.

Il ne s'exalte pas et deviendra le chef.
Comme il ne rivalise avec personne,
personne au monde ne peut rivaliser avec lui.

L'ancien dicton : « qui se plie restera entier »
est-ce donc une parole vaine ?
C'est par là qu'on garde son intégrité.

XXIII

Parler rarement est conforme à la nature.

Un tourbillon ne dure pas toute la matinée.
Une averse ne dure pas toute la journée.
Qui les produit ? Le ciel et la terre
Si les phénomènes du ciel et de la terre ne sont pas durables,
Comment les actions humaines le seraient-elles ?

Qui va vers le Tao, le Tao l'accueille.
Qui va vers la Vertu, la Vertu l'accueille.
Qui va vers la perte, la perte l'accueille[1].

1. Notre traduction repose sur le texte établi par Tchou k'ien-tche, *Lao-tseu kiao-che*, pp. 60-61.

XXIV

Qui se dresse sur la pointe des pieds
ne tiendra pas longtemps debout.
Qui fait de grandes enjambées
ne marchera pas très loin.
Qui s'exhibe ne rayonnera pas.
Qui s'affirme ne s'imposera pas.
Qui se glorifie ne verra pas son mérite reconnu.
Qui s'exalte ne deviendra pas un chef.

Ces manières sont, pour le Tao,
Comme sont les restes de nourritures et les tumeurs
qui répugnent à tous.
Celui qui connaît la loi de la nature
ne fera pas ainsi sa demeure[1].

1. Notre traduction repose sur le texte chinois établi par Tchou K'ien-tche, *Lao-tseu kiao-che*, pp. 62-63.

XXV

Il y avait quelque chose d'indéterminé
avant la naissance de l'univers.
Ce quelque chose est muet et vide.
Il est indépendant et inaltérable.
Il circule partout sans se lasser jamais.
Il doit être la Mère de l'univers.

Ne connaissant pas son nom,
Je le dénomme « Tao ».
Je m'efforce de l'appeler « grandeur ».
La grandeur implique l'extension.
L'extension implique l'éloignement.
L'éloignement exige le retour.

Le Tao est grand.
Le ciel est grand.
La terre est grande.
L'homme est grand.

C'est pourquoi l'homme est l'un des quatre grands du monde.

L'homme imite la terre.
La terre imite le ciel.
Le ciel imite le Tao.
Le Tao n'a d'autre modèle que soi-même.

XXVI

Le pesant est la racine du léger;
La quiétude est maîtresse de l'agitation.
Aussi le prince voyage-t-il tout le jour
sans quitter son pesant fourgon.
Devant les spectacles les plus magnifiques
il reste calme et détaché.
Comment le maître de dix mille chars
pourrait-il se permettre de négliger l'empire ?
Qui se conduit avec légèreté
perdra la Racine de son autorité;
Qui s'agite
perdra la maîtrise de soi.

XXVII

Marcher bien, c'est marcher sans laisser ni ornière, ni trace.
Parler bien, c'est parler sans commettre d'erreur et sans encourir de reproches.
Calculer bien, c'est calculer sans avoir recours ni aux baguettes ni aux tablettes.
Fermer bien, c'est fermer sans barres, ni verrous
et pourtant sans que personne puisse ouvrir.
Lier bien, c'est lier sans corde ni ficelle
et pourtant sans que personne puisse délier.

Le saint est toujours prêt à aider les hommes
et il n'en omet aucun;
Il est toujours prêt à bien utiliser les choses
et n'en rejette aucune.
C'est là posséder la lumière.

L'homme de bien est le maître de l'homme
de non-bien.
L'homme de non-bien n'est que la matière
brute de l'homme de bien.
Quiconque ne révère le maître ni la matière
s'égarera grandement en dépit de son intelligence.
Là réside le secret de la sagesse[1].

1. L'homme de bien signifie ici le saint taoïste qui modèle les consciences selon le Tao générateur; l'homme de non-bien désigne ici, non le méchant, mais le peuple susceptible d'être sauvé par le saint taoïste. Si grande que soit son intelligence, celui qui ne révère pas le maître et n'aime pas le peuple ne peut plus être sauvé par le Tao générateur.

XXVIII

Connais le masculin,
Adhère au féminin.
Sois le Ravin du monde.
Quiconque est le Ravin du monde,
la vertu constante ne le quitte pas.
Il retrouve l'enfance.

Connais le blanc.
Adhère au noir.
Sois la norme du monde.
Quiconque est la norme du monde,
la vertu constante ne s'altère pas en lui.
Il retrouve l'illimité[1].

1. Nous soupçonnons, avec Yi Chouen-ting, qu'il y a une sorte d'interpolation entre le deuxième et le troisième paragraphe de ce chapitre. Car l'idée d'illimité ne s'accorde pas avec l'intuition fondamentale de Lao-tseu vivant surtout dans un univers fini. La notion d'infini doit sans doute représenter une découverte de Tchouang-tseu, et surtout de son école (cf. Tchou K'ien-tche, *Lao tseu kiao-che,* p. 73).

Connais la gloire.
Adhère à la disgrâce.
Sois la Vallée du monde.
Quiconque est la Vallée du monde,
la vertu constante est surabondante en lui.
Il retrouve le bloc de bois brut.

Le bloc de bois, débité selon son fil, forme des ustensiles.
Le saint en suivant la nature des hommes devient le chef des ministres.
C'est pourquoi le grand maître ne blesse rien.

XXIX

Qui cherche à façonner le monde,
je vois, n'y réussira pas.
Le monde, vase spirituel[1], ne peut être façonné.
Qui façonne le détruira.
Qui le tient le perdra.

Car tantôt les êtres vont de l'avant,
tantôt ils suivent,
tantôt ils soufflent légèrement,
tantôt ils soufflent fort,
tantôt ils sont vigoureux,

1. L'expression « vase spirituel » évoque quelque chose de très fragile, d'imprévisible, et de terrible.

La notion de vase évoque quelque chose qu'on peut casser à tout moment.

La notion, très chinoise, du caractère *chen* indique un mouvement imprévisible. De même *chen* implique la terreur selon le LXe chapitre de l'auteur. Ainsi « spirituel », selon le symbolisme chinois, évoque quelque chose de terrible et d'absolument imprévisible.

tantôt ils sont débiles,
tantôt ils restent fermes,
tantôt ils tombent.

C'est pourquoi le saint évite tout excès
tout luxe et toute licence.

XXX

Celui qui se réfère au Tao comme maître des hommes
ne subjugue pas le monde par les armes,
car cette manière d'agir entraîne habituellement une riposte.
Où campent les armées poussent épines et chardons.

Ainsi un homme de bien se contente-t-il d'être résolu,
sans user de sa force.
Qu'il soit résolu sans orgueil.
Qu'il soit résolu sans exagération.

Qu'il soit résolu sans ostentation.
Qu'il soit résolu par nécessité.
C'est en ce sens qu'il est résolu,
sans s'imposer par la force[1].

1. Notre traduction repose sur le texte établi par Tchou K'ien-tche, *Lao-tseu kiao-che*, pp. 76-78.

XXXI

Les armes sont des instruments néfastes
et répugnent à tous.
Celui qui comprend le Tao ne les adopte pas.

La place d'honneur est à gauche[1],
Quand le gentilhomme est chez lui;
elle est à droite,
quand il porte les armes.

Les armes sont des instruments néfastes,
elles ne sont pas des instruments de gentilhomme.
Celui-ci ne s'en sert que par nécessité,

1. Selon la coutume de la Chine traditionnelle, la place d'honneur est à droite. Mais Lao-tseu, habitant de Tch'ou, n'adopte pas la même coutume. En voici la preuve au *Tso tch'ouan*, 8ᵉ année du prince Houan : « Les gens de Tch'ou honorent la gauche » (cf. Tchou K'ien-tche, *Lao-tseu kiao-che*, p. 80).

car il honore la paix et la tranquillité
et ne se réjouit pas de sa victoire.

Celui qui se réjouit de sa victoire
prend plaisir à tuer les hommes.
Celui qui prend plaisir à tuer les hommes
ne peut jamais réaliser son idéal dans le monde.

Dans les événements fastes, la place d'honneur est à gauche.
Dans les événements néfastes, elle est à droite.
Le général en second occupe la gauche,
Le général en chef occupe la droite.
Cela signifie qu'ils sont placés selon les rites funèbres.

Le massacre des hommes, il convient de le pleurer
avec chagrin et tristesse.
La victoire dans une bataille, il convient de la traiter
selon les rites funèbres.

XXXII

Le Tao n'a pas de nom.
Bien que son fond soit minuscule,
le monde entier n'ose pas l'assujettir.

Si les princes ou les seigneurs pouvaient adhérer au Tao
tous les êtres du monde se soumettraient à eux.
Le ciel et la terre s'uniraient
pour faire descendre une douce rosée,
les peuples sans contrainte aucune
se pacifieraient d'eux-mêmes.

Qui inaugure une institution en établit les diverses fonctions.
Les fonctions une fois établies,
il faut arrêter leur multiplication.

Qui sait arrêter à temps cette multiplication
peut conjurer toute catastrophe.

Le Tao est à l'univers
ce que les ruisseaux et les vallées sont au fleuve
et à la mer.

XXXIII

Qui connaît autrui est intelligent,
Qui se connaît est éclairé,
Qui vainc autrui est fort,
Qui se vainc soi-même a la force de l'âme.

Qui se contente est riche.
Qui s'efforce d'agir a de la volonté.

Qui reste à sa place vit longtemps.
Qui est mort sans être disparu atteint l'immortalité.

XXXIV

Le grand Tao s'épand comme un flot,
Il est capable d'aller à droite et à gauche.

Tous les êtres sont nés de lui
sans qu'il en soit l'auteur[1].
Il accomplit ses œuvres
mais il ne se les approprie pas.

Il protège et nourrit tous les êtres
sans qu'il en soit le maître,
ainsi il peut s'appeler grandeur.

C'est parce qu'il ne connaît pas sa grandeur
que sa grandeur se parachève[2].

1. Cf. note 1 du IIe chapitre. Nous adoptons la même modification : non-expression = non-être originel.

2. Notre traduction repose sur le texte chinois établi par Tchou K'ien-tche, *Lao-tseu kiao-che,* pp. 88-90.

XXXV

Celui qui détient la Grande Image[1]
peut parcourir le monde.
Il le fait sans danger,
partout il trouve paix, équilibre et tranquillité.

La musique et la bonne chère
attirent les passants,
mais tout ce qui émane du Tao
est monotone et sans saveur.

On regarde le Tao,
cela ne suffit pas pour le voir.

1. La Grande Image indique l'intuition fondamentale du Tao chez le saint taoïste.

On l'écoute,
cela ne suffit pas pour l'entendre.
On le goûte,
cela ne suffit pas pour en trouver la saveur.

XXXVI

Qui veut abaisser quelqu'un
doit d'abord le grandir.

Qui veut affaiblir quelqu'un
doit d'abord le renforcer.

Qui veut éliminer quelqu'un
doit d'abord l'exalter.

Qui veut supplanter quelqu'un
doit d'abord lui faire des concessions.

Telle est la vision subtile du monde.

Le souple vainc le dur.
Le faible vainc le fort.

Le poisson ne doit pas sortir des eaux profondes.
Les armes les plus efficaces de l'Etat
ne doivent pas être montrées aux hommes.

XXXVII

Le Tao lui-même n'agit pas,
et pourtant tout se fait par lui.

Si princes et seigneurs pouvaient y adhérer,
tous les êtres du monde se transformeraient
d'eux-mêmes.

Si quelque désir surgissait parmi les êtres
au cours de la transformation du monde,
je les maintiendrais dans la limite du fond
sans nom.

Le fond sans nom
est ce qui n'a pas de désir.
C'est par le sans-désir et la quiétude
que l'univers se règle de lui-même.

XXXVIII

La vertu suprême est sans vertu,
c'est pourquoi elle est la vertu.
La vertu inférieure ne s'écarte pas des vertus,
c'est pourquoi elle n'est pas la vertu.

Qui possède la vertu supérieure n'agit pas
et n'a pas de but.
Qui ne possède pas la vertu inférieure agit
et a un but.

Qui se conforme à la bonté supérieure agit,
mais n'a pas de but.
Qui se conforme à la justice supérieure agit,
et a un but.
Qui se conforme au rite supérieur agit
et exige qu'on y réponde;
sinon il retrousse ses manches et insiste.

Ainsi il est dit :
Après la perte du Tao, vient la vertu.
Après la perte de la vertu, vient la bonté.
Après la perte de la bonté, vient la justice.
Après la perte de la justice, vient le rite.
Le rite est l'écorce de la fidélité et de la confiance,
mais il est aussi la source du désordre.
L'intelligence prévoyante est la fleur du Tao,
mais aussi le commencement de la bêtise.
Ainsi le grand homme s'en tient au fond et non à la surface,
il s'en tient au noyau et non à la fleur,
il rejette ceci et accepte cela.

XXXIX

Voici ce qui jadis parvint à l'unité.
Le ciel parvint à l'unité et devint pur.
La terre parvint à l'unité et devint tranquille.
Les esprits parvinrent à l'unité et devinrent efficients.
Les vallées parvinrent à l'unité et se remplirent.
Les êtres parvinrent à l'unité et se reproduisirent.
Les princes et seigneurs parvinrent à l'unité
et devinrent l'exemple de l'univers.

Si le ciel n'était pas pur, il se déchirerait.
Si la terre n'était pas tranquille, elle se ruinerait.
Si les esprits n'étaient pas efficients, ils s'anéantiraient.

Si les vallées ne se remplissaient pas, elles se dessécheraient.
Si les êtres ne se reproduisaient pas, ils disparaîtraient.
Si les princes et seigneurs n'étaient pas exemplaires,
ils seraient renversés.

La noblesse a pour racine l'humilité.
Le haut a pour fondement le bas.
Aussi les princes et seigneurs se nomment-ils eux-mêmes
« orphelins », « veufs », « indignes de manger ».
N'est-ce pas parce qu'ils considèrent l'humilité comme racine ?
L'honneur suprême est sans honneur.
Le saint ne veut pas être finement taillé comme le jade,
mais il préfère être éparpillé comme des cailloux[1].

1. Notre traduction repose sur le texte chinois établi par Tchou K'ien-tche, *Lao-tseu kiao-che*, pp. 100-106.

XL

Le retour est le mouvement du Tao.
C'est par la faiblesse qu'il se manifeste.
Tous les êtres sont issus de l'Etre;
L'Etre est issu du Non-Etre.

XLI

Lorsqu'un esprit supérieur entend le Tao
il le pratique avec zèle.
Lorsqu'un esprit moyen entend le Tao,
tantôt il le conserve, tantôt il le perd.
Lorsqu'un esprit inférieur entend le Tao,
il en rit aux éclats;
s'il n'en riait pas
le Tao ne serait plus le Tao.

Car l'adage dit :
Le chemin de la lumière paraît obscur,
Le chemin du progrès paraît rétrograde,
Le chemin uni paraît raboteux.
La vertu suprême paraît vide,
la candeur suprême paraît souillée;
la vertu surabondante paraît insuffisante,
la vertu solide paraît négligente,
La vertu de fond paraît fluctuante.

Le grand carré n'a pas d'angles[1].
Le grand vase est lent à parfaire.
La grande musique n'a guère de sons.
La grande image n'a pas de forme.
Le Tao caché n'a pas de nom.
Et pourtant c'est lui seul
qui soutient et parachève tous les êtres.

1. « Le grand carré n'a pas d'angles. » Lao-tseu veut dire par là que le saint perfectionne les hommes de telle sorte qu'il ne puisse blesser leur amour-propre. Cette phrase est un peu du même ordre que celle du chapitre XLV : « La droiture suprême paraît sinueuse. »

XLII

Le Tao engendre Un.
Un engendre Deux.
Deux engendre Trois.
Trois engendre tous les êtres du monde.

Tout être porte sur son dos l'obscurité
et serre dans ses bras la lumière :
Le souffle indifférencié constitue son harmonie.

Ce qui répugne aux hommes
c'est d'être orphelin, veuf, indigne de manger :
et pourtant princes et ducs ne se nomment pas autrement.
Qui se diminue grandira;
Qui se grandit diminuera.

J'enseigne ceci après d'autres :
« L'homme violent n'aura pas une mort naturelle. »
Que celui qui l'a dit soit mon maître !

XLIII

Le plus tendre en ce monde
domine le plus dur.
Seul le rien s'insère dans ce qui n'a pas de failles.
A quoi je reconnais l'efficace du non-agir.

L'enseignement sans parole
L'efficace du non-agir,
Rien ne saurait les égaler.

XLIV

Renom ou santé, quel est le plus précieux ?
Santé ou fortune, quelle est la plus importante ?
A gagner l'un en perdant l'autre : où est le pire ?

Qui trop aime le renom doit le payer trop cher;
Qui trop amasse subit de lourdes pertes.

Qui de peut se contente, évite toute insulte.
Qui sait se refréner prévient les catastrophes.
C'est ainsi qu'on peut vivre longtemps.

XLV

La perfection suprême semble imparfaite,
Son action n'a pas de cesse;
La plénitude suprême semble vide,
Son action n'a pas de limite.

La droiture suprême paraît sinueuse.
L'habileté suprême paraît maladroite.
L'éloquence suprême paraît bégayante.

Le mouvement triomphe du froid.
Le repos triomphe de la chaleur.

Pureté et quiétude sont normes du monde.

XLVI

Si le monde est en bonne voie,
les coursiers dessellés travaillent dans les champs.
Si le monde n'est pas en bonne voie,
les chevaux de combat pullulent au faubourg.

Pas de plus grande erreur que d'approuver ses désirs.
Pas de plus grand malheur que d'être insatiable.
Pas de pire fléau que l'esprit de convoitise.

Qui sait se borner
aura toujours assez.

XLVII

Sans franchir sa porte
on connaît l'univers.
Sans regarder par sa fenêtre
on aperçoit la voie du ciel.

Plus on va loin,
moins on connaît.

Le saint connaît sans voyager,
comprend sans regarder,
accomplit sans agir.

XLVIII

Celui qui s'adonne à l'étude
Augmente de jour en jour.
Celui qui se consacre au Tao
Diminue de jour en jour.

Diminue et diminue encore
Pour arriver à ne plus agir.
Par le non-agir
Il n'y a rien qui ne se fasse.

C'est par le non-faire
que l'on gagne l'univers.
Celui qui veut faire
ne peut gagner l'univers.

XLIX

Le saint n'a pas d'esprit propre.
Il fait sien l'esprit du peuple.

Etre bon à l'égard des bons
Et bon aussi envers ceux qui ne le sont pas,
c'est posséder la bonté même.

Avoir confiance en des hommes de confiance
et aussi en ceux qui ne le sont pas,
c'est posséder la confiance même.

L'existence du saint inspire la crainte
à tous les hommes du monde.
Le saint unifie les esprits du monde.

Le peuple tourne ses yeux et tend ses oreilles
vers lui,
et le saint le traite comme son propre enfant.

L

Sortir[1], c'est vivre;
Entrer[2], c'est mourir.

Trois hommes sur dix sont sur le chemin de la vie[3].
Trois hommes sur dix sont sur le chemin de la mort[4].
Trois hommes sur dix qui étaient sur le chemin de la vie
s'acheminent prématurément vers la terre de mort;
Pourquoi cela ?
Parce qu'ils aiment trop la vie[5].

1. Sortir du Tao.
2. Entrer dans le Tao.
3. Ceux qui ont une constitution solide peuvent vivre longtemps.
4. Ceux qui sont de mauvaise constitution meurent jeunes.
5. Ceux qui ont une constitution solide meurent jeunes parce qu'ils abusent de leur santé.

Cf. la note de Kao Yen-ti dans *Lao-tseu kiao-che,* par Tchou K'ien tche, p. 128.

J'ai ouï dire que celui qui connaît l'art de se ménager
ne rencontre ni rhinocéros ni tigres
lorsqu'il voyage par terre
et qu'il ne porte ni cuirasse ni armes
lorsqu'il pénètre au sein de l'armée adverse.

Le rhinocéros ne trouve pas d'endroit où l'encorner.
Le tigre ne trouve pas d'endroit où le griffer.
L'arme ne trouve pas d'endroit où le percer.
Pourquoi cela ?
Aucun endroit sur lui ne s'ouvre pour la mort.

LI

Le Tao produit.
La vertu conserve.
La matière fournit un corps.
Le milieu parachève.
Ainsi tous les êtres du monde
révèrent le Tao et honorent la vertu.
Cette vénération pour le Tao et ce respect de la vertu
ne sont pas ordonnés, mais toujours spontanés.

Car c'est le Tao qui les produit,
c'est la vertu qui les conserve,
qui les grandit et les élève,
qui les achève et les mûrit,
qui les nourrit et les protège.

Produire sans s'approprier,
agir sans rien attendre,
guider sans contraindre,
voilà la vertu suprême[1].

1. Notre traduction repose sur le texte chinois établi par Tchou K'ien-tche, *Lao-tseu kiao-che*, pp. 130-131.

LII

Tout ce qui est sous le ciel a une origine,
cette origine en est la mère.

Qui appréhende la mère
connaîtra les enfants.
Qui connaît les enfants
et adhère encore à la mère
restera intact toute sa vie.

Bloque toutes les ouvertures,
ferme toutes les portes,
tu seras sans usure au terme de ta vie.
Ouvre toutes les ouvertures,
multiplie tes besognes,
tu seras sans recours au terme de ta vie.

Percevoir le plus petit, voilà la clairvoyance.
Garder la douceur, voilà la force d'âme.

Utilise les rayons de lumière,
mais fais retour à leur source.
N'attire pas sur toi les malheurs,
ainsi tu observeras le constant.

LIII

Si j'étais connu avantageusement dans le monde
je marcherais sur la grande voie,
ne craignant que d'en dévier.

La grande voie est unie
mais la foule préfère les chemins de traverse.

La cour est bien tenue,
mais les champs sont pleins d'ivraie
et les greniers vides.

Se vêtir de robes brodées,
se ceindre d'épées tranchantes,
se rassasier de boire et de manger,

accumuler des richesses,
tout cela s'appelle vol et mensonge
et ne relève pas du Tao.

LIV

Ce qui est bien planté ne peut être arraché,
ce qui est bien étreint ne peut se dégager.
C'est grâce à la vertu que fils et petit-fils
célèbrent sans faillir le culte des ancêtres.

Cultivée en soi-même
sa vertu sera authentique;
cultivée dans sa famille,
elle s'enrichira;
cultivée dans son village,
elle grandira;
cultivée dans l'Etat,
elle sera florissante;
cultivée dans le monde,
elle deviendra universelle.

Autrui, on l'observe d'après soi-même;
les familles, d'après sa famille;

les villages, d'après son village;
les Etats, d'après son Etat;
le monde, d'après ce monde;
Comment puis-je savoir comment va le monde ?
par tout ce qui vient d'être dit.

LV

Celui qui possède en lui la plénitude de la vertu
est comme l'enfant nouveau-né :
les insectes venimeux ne le piquent pas,
les animaux sauvages ne le griffent pas,
les oiseaux de proie ne l'enlèvent pas.

Il a les os frêles et les muscles débiles,
mais sa poigne est toute-puissante.
Il ignore l'union du mâle et de la femelle,
mais son membre viril se dresse
tant sa vitalité est à son comble.
Il vagit tout le jour sans être enroué
tant son harmonie est parfaite.

Connaître l'harmonie, c'est saisir le Constant.
Saisir le Constant, c'est être illuminé.

L'abus de la vie est néfaste.
Dominer le souffle vital par l'esprit, c'est être fort.

Les êtres devenus forts vieillissent,
cela s'oppose au Tao.
Quiconque s'oppose au Tao
périt prématurément.

LVI

Celui qui sait ne parle pas,
celui qui parle ne sait pas.

Bloque ton ouverture,
ferme ta porte,
émousse ton tranchant,
dénoue tout écheveau,
fusionne toutes lumières,
unifie toutes poussières,
c'est là l'identité suprême.

Tu ne peux approcher du Tao
non plus que t'en éloigner;
lui porter bénéfice
non plus que préjudice;

lui conférer honneur
non plus que déshonneur.
C'est pourquoi il est en si haute estime dans
le monde.

LVII

Un Etat se régit par les lois.
Une guerre se fait à coups de surprises.
Mais c'est par le non-faire
qu'on gagne l'univers.
Comment le sais-je ?
Par ce qui suit :

Plus il y a d'interdits et de prohibition,
plus le peuple s'appauvrit;
plus on possède d'armes tranchantes,
plus le désordre sévit;
plus se développe l'intelligence fabricatrice,
plus en découlent d'étranges produits;
plus se multiplient les lois et les ordonnances,
plus foisonnent les voleurs et les bandits.

C'est pourquoi le saint dit :
Si je pratique le non-agir,
le peuple se transforme de lui-même.
Si j'aime la quiétude,
le peuple s'amende de lui-même.
Si je n'entreprends aucune affaire,
le peuple s'enrichit de lui-même.
Si je ne nourris aucun désir,
le peuple revient de lui-même à la simplicité.

LVIII

Lorsque le gouverneur est indulgent,
le peuple reste pur.
Lorsque le gouverneur est pointilleux,
Le peuple devient fautif.

Le bonheur repose sur le malheur;
le malheur couve sous le bonheur.
Quel en est le terme ?
Le monde n'a pas de normes,
car le normal peut se faire anormal
et le bien peut se transformer en monstruosité.

C'est depuis longtemps que les hommes
se sont trompés là-dessus.

Ainsi le saint discipline sans blesser,
purifie sans vexer,
rectifie sans contraindre,
éclaire sans éblouir.

LIX

Pour gouverner les hommes et servir le ciel,
rien ne vaut la modération,
car seul celui qui pratique la modération
obtiendra de bonne heure le Tao.
Qui obtient de bonne heure le Tao
acquerra double réserve de vertu;
qui acquiert double réserve de vertu
triomphera en tout;
qui triomphe en tout
ne connaîtra pas de limites à son pouvoir;
qui ne connaît pas ces limites
peut posséder un royaume;
qui possède la mère du royaume
peut le garder longtemps.
Voilà ce qu'on appelle :
« La voie de la racine profonde, de la base ferme,
de la longue vie et de la vision durable. »

LX

On régit un grand Etat
comme on fait frire un petit poisson[1].

Si l'on veille sur le monde avec l'aide du Tao,
Les mânes deviendront sans puissance.
Non seulement les mânes deviendront sans puissance,
mais aussi les esprits ne nuiront plus aux hommes.
Non seulement les esprits ne nuiront plus aux hommes,

1. De même que celui qui sait frire un petit poisson ne doit pas le remuer trop souvent, de même celui qui sait régir son Etat ne doit pas multiplier les ordonnances. Car quiconque remue trop souvent la friture risque de la mettre en miettes; quiconque multiplie les lois de l'Etat risque d'opprimer son peuple. Cf. le commentaire de Fan Ying-yuan cité par Tchou K'ien-tche, *Lao-tseu kiao-che*, pp. 156-157.

mais aussi le souverain ne nuira pas aux
hommes.
Si le souverain et les hommes ne se nuisent
pas,
chacun en bénéficiera.

LXI

Un grand pays est un pays d'aval,
le point de rencontre de toutes choses,
la femelle de l'univers.

La femelle triomphe du mâle par sa tranquillité.
Etre tranquille, c'est s'abaisser.

Un grand pays qui s'abaisse devant un plus petit
l'attire à lui.
De même, un petit pays qui s'incline devant le grand
gagne sa protection.
Ainsi l'un accueille en s'abaissant,
l'autre est accueilli en s'inclinant.

Un grand pays ne désire que rassembler
les hommes et les nourrir.
Un petit pays ne désire que s'allier au grand
et le servir.
Certes tous les deux obtiennent ce qu'ils désirent,
mais il faut que le grand pays s'abaisse.

LXII

Le Tao est le fond secret et commun à tous les êtres,
le trésor des hommes bons
et le refuge de ceux qui ne le sont pas.

Par de belles paroles, on peut acheter des honneurs;
par une belle conduite, on peut s'élever au-dessus des autres;
mais pourquoi rejeter les hommes qui n'en sont pas capables ?

Ainsi par exemple on couronne un empereur,
on installe les trois ducs,
on leur présente jade et quadrige;
tout cela n'est pas comparable
à celui qui, sans bouger, offre le Tao.

Pourquoi les anciens estimaient-ils tant le Tao ?
N'est-ce pas grâce à lui que
qui cherche trouve
et que tout coupable se rachète ?
C'est pourquoi il est en si haute estime dans le monde.

LXIII

Pratique le non-agir,
exécute le non-faire,
goûte le sans-saveur,
considère le petit comme le grand
et le peu comme beaucoup.
Attaque une difficulté dans ses éléments
faciles;
Accomplis une grande œuvre par de menus
actes.
La chose la plus difficile au monde
se réduit finalement à des éléments faciles.
L'œuvre la plus grandiose s'accomplit
nécessairement par de menus actes.

Le saint n'entreprend rien de grand
et peut ainsi parfaire sa propre grandeur.
Qui promet à la légère tient rarement parole.

Qui trouve tout facile éprouve nécessairement beaucoup de difficultés.

Le saint tient tout pour difficile
et ne rencontre finalement aucune difficulté[1].

1. Notre traduction repose sur le texte chinois établi par Duyvendak, *Le Livre de la voie et de la vertu*, p. 146.

LXIV

Ce qui est en repos est facile à maintenir.
Ce qui n'est point éclos est facile à prévenir.
Ce qui est fragile est facile à briser.
Ce qui est menu est facile à disperser.

Préviens le mal avant qu'il ne soit,
Mets de l'ordre avant que n'éclate le désordre.

Cet arbre qui remplit tes bras est né d'un germe infime.
Cette tour avec ses neuf étages vient de l'entassement de mottes de terre.
Le voyage de mille lieues commence par un pas.

Qui agit échoue.
Qui retient perd.

Le saint n'agit pas et n'échoue pas.
Il ne retient rien et ne perd donc rien.

Souvent un homme qui entreprend une affaire
échoue juste au moment de réussir.
Quiconque demeure aussi prudent au terme
qu'au début n'échouera pas dans son entreprise.
Ainsi le saint désire le sans-désir.
Il n'apprécie pas les trésors recherchés.
Il apprend à désapprendre.
Il se détourne des excès communs à tous les hommes.
Il facilite l'évolution naturelle de tous les êtres
sans oser agir sur eux.

LXV

Les anciens qui pratiquaient le Tao
ne cherchaient pas à éclairer le peuple.
Ils s'attachaient à le laisser dans l'ignorance.
Si le peuple est difficile à gouverner
cela vient de l'excès de son intelligence.

Qui gouverne un Etat en usant de son intelligence
en sera le malfaiteur.
Qui gouverne un Etat sans l'aide de son intelligence
en sera le bienfaiteur.

Connaître les deux choses
c'est connaître le principe de tout gouvernement.

Qui connaît ce principe possède la vertu suprême.

La vertu suprême est profonde et vaste;
elle opère à l'encontre des habitudes des êtres;
elle permet d'atteindre à l'harmonie universelle.

LXVI

Ce qui fait que le fleuve et la mer
peuvent être rois des Cent Vallées,
c'est qu'ils savent se mettre au-dessous d'elles.
Voilà pourquoi ils peuvent être rois des Cent Vallées.

De même si le saint désire être au-dessus du peuple,
il lui faut s'abaisser d'abord en paroles;
s'il désire prendre la tête du peuple,
il lui faut se mettre au dernier rang.

Ainsi le saint est au-dessus du peuple
et le peuple ne sent pas son poids;
il dirige le peuple
et le peuple n'en souffre pas.

C'est pourquoi tout le monde le pousse volontiers en tête
et ne se lasse pas de lui.
Puisqu'il ne rivalise avec personne,
personne ne peut rivaliser avec lui.

LXVII

Tout le monde dit que ma vérité est grande
et ne ressemble à aucune autre.
C'est parce qu'elle est grande
qu'elle ne ressemble à aucune autre,
car si elle s'était mise à ressembler à quelque
    autre,
il y a longtemps qu'elle serait petite.

J'ai trois trésors que je détiens et auxquels je
    m'attache :
Le premier est amour,
Le deuxième est économie,
Le troisième est humilité.
Amoureux, je puis être courageux,
Econome, je puis être généreux,
N'osant pas être le premier dans le monde,
Je puis devenir le chef du gouvernement.

Quiconque est courageux sans amour,
généreux sans économie
et chef sans humilité,
celui-là va vers la mort.

Qui se bat par amour triomphe;
Qui se défend par amour tient ferme;
Le ciel le secourt et le protège avec amour.

LXVIII

Un véritable chef militaire n'est pas belliqueux.
Un véritable guerrier n'est pas coléreux.
Un véritable vainqueur ne s'engage pas dans la guerre.
Un véritable conducteur d'hommes se met en dessous d'eux.

On retrouve là
la vertu de non-rivalité
et la capacité de conduire les hommes.
Tout cela est en parfaite harmonie avec la loi du Ciel.

LXIX

Un stratège de l'antiquité a dit :
« Je n'ose pas prendre l'initiative;
J'aime mieux attendre[1].
Je n'ose pas avancer d'un pouce;
J'aime mieux reculer d'un pied. »

C'est là ce qu'on appelle
progresser sans avancer,
repousser sans se servir de bras,
risposter sans flèches[2],
s'opposer sans armes.

Il n'y a de pire danger
que de sous-estimer son ennemi.

1. Nous suivons l'interprétation de Duyvendak, *Le Livre de la voie et de la vertu*, p. 159.
2. Le caractère *ti*, signifiant *rival* ou *ennemi*, peut avoir le sens de son homonyme signifiant « flèche ».

Sous-estimer son ennemi,
c'est presque perdre son trésor.
Lorsque s'affrontent deux armées de forces égales,
celle qui souffre de subir la guerre remportera la victoire.

LXX

Mes préceptes sont très faciles à comprendre
et très faciles à pratiquer.
Mais nul ne peut les comprendre
ni les pratiquer.

Mes préceptes ont leur principe,
mon action a sa direction.
Mais nul ne les comprend
et je reste inconnu du monde.

Rares sont ceux qui me connaissent,
Nobles sont ceux qui me suivent.
Le saint, sous ses vêtements grossiers,
garde un jade en son sein.

LXXI

Connaître, c'est ne pas connaître :
Voilà l'excellence.
Ne pas connaître, c'est connaître :
Voilà l'erreur[1].

Qui prend conscience de son erreur
ne commet plus d'erreur.

1. Pour éclairer le contenu de ces deux phrases trop brèves, résumons ici les trois attitudes fondamentales de l'homme devant la connaissance.

L'esprit de précipitation règne chez la plupart des hommes; c'est pourquoi la connaissance vulgaire est remplie de préjugés humains et d'illusions collectives.

L'apport de Confucius consiste à distinguer ce que l'homme peut connaître et ce qu'il ne peut pas connaître :

« Le maître dit : " Yeou [Tseu Lou : disciple impatient, et symbole du vulgaire], veux-tu que je t'enseigne la méthode de connaître? Connaître, c'est connaître; ne pas connaître, c'est ne pas connaître. Telle est la connaissance ". »

Lao-tseu préconise une attitude contemplative : pour lui toute connaissance plonge toujours dans quelque chose que l'homme ne peut pas connaître. C'est l'intuition ontologique du principe inconnaissable qui doit fournir le critère de la connaissance humaine, plus ou moins proche ou éloignée de la vérité objective.

Le saint ne commet aucune erreur
parce qu'il en prend conscience,
voilà pourquoi il évite toute erreur.

LXXII

Si le peuple ne craint plus ton pouvoir
c'est qu'un grand pouvoir approche.

N'enclos pas le peuple en d'étroites demeures.
Ne le pressure pas pour ne pas tarir ses moyens d'existence.

Si tu ne pressures pas le peuple,
le peuple ne se lassera pas de toi.

Le saint se connaît et ne s'exhibe point.
Il s'aime et ne se prise point.
C'est pourquoi il rejette ceci et adopte cela.

LXXIII

Le chef téméraire se fait tuer.
Le chef circonspect reste en vie.
De ces deux manières d'agir,
la seconde profite et la première nuit.
De l'aversion du ciel
qui connaît le pourquoi ?

La voie du ciel
sait vaincre sans batailler,
répondre sans parler,
venir sans qu'on l'appelle
et former ses projets avec sérénité.

Malgré ses larges mailles
le grand filet du ciel ne laisse rien échapper.

LXXIV

Si le peuple ne craint plus la mort,
comment la peine de mort lui ferait-elle peur ?

Si l'on pouvait faire que le peuple craigne
constamment la mort
et si l'on pouvait saisir et mettre à mort
tous ceux qui violent gravement les lois,
qui oserait faire le mal ?

Le maître bourreau est là pour tuer.
Tuer à la place du maître bourreau,
c'est tailler à la place du maître charpentier.
Il est rare que celui qui taille à la place
du maître charpentier ne se blesse pas la main.

LXXV

Le peuple est affamé
parce que ses dirigeants l'accablent d'impôts.
Voilà ce qui l'affame.

Le peuple est indocile
parce que ses dirigeants sont trop entreprenants.
Cela le rend indocile.

Le peuple méprise la mort
parce que sa vie est trop dure.
Ce qui fait qu'il méprise la mort.

Seul celui pour qui la vie n'est pas trop dure
peut apprécier la vie.

LXXVI

Les hommes en naissant sont tendres et frêles,
La mort les rend durs et rigides;
En naissant les herbes et les arbres sont tendres et fragiles,
la mort les rend desséchés et amaigris.

Le dur et le rigide conduisent à la mort;
le souple et le faible conduisent à la vie.

Forte armée ne vaincra;
grand arbre fléchira.

La dureté et la rigidité sont inférieures;
la souplesse et la faiblesse sont supérieures.

LXXVII

La voie du Ciel ne procède-t-elle pas
à la manière de celui qui tend l'arc ?
Elle abaisse ce qui est en haut
et élève ce qui est en bas;
elle enlève ce qui est en trop
et supplée à ce qui manque.

La voie du Ciel enlève l'excédent
pour compenser le manquant.
La voie de l'homme est bien différente :
L'homme enlève à l'indigent
pour l'ajouter au riche.

Qui peut donner au monde son superflu
sinon celui qui possède le Tao ?
Le saint agit sans rien attendre,
accomplit son œuvre sans s'y attacher
et tient son mérite caché.

LXXVIII

Rien n'est plus souple et plus faible que l'eau,
Mais pour enlever le dur et le fort, rien ne la surpasse
Et rien ne saurait la remplacer.

La faiblesse a raison de la force;
La souplesse a raison de la dureté.
Tout le monde le sait
Mais personne ne peut le mettre en pratique.

Ainsi le saint a-t-il dit :
Accepter toutes les immondices du royaume,

C'est être le seigneur du sol et des céréales[1].
Accepter les maux du royaume
C'est être le monarque de l'univers.

Les paroles de Vérité semblent paradoxales.

1. Dans l'antiquité, le Roi est obligé de faire offrande à l'esprit du sol et à l'esprit des céréales. Car ce sont le sol et les céréales qui font vivre le peuple. Le Roi, chef suprême, a seul le droit et le devoir de sacrifier à l'esprit du sol et à l'esprit des céréales. C'est ainsi qu'on peut dire qu'« il est le seigneur du sol et des céréales ». Cf. *Tseu Hai,* p. 976.

LXXIX

Celui qui parvient à apaiser un grand ressentiment
laisse toujours subsister quelque ressentiment.
Cela peut-il être considéré comme bien ?

C'est pourquoi le saint garde la moitié gauche de la taille
mais ne réclame rien aux autres[1].
Celui qui a la vertu ne tient qu'à la taille,

1. Pour expliquer cette ancienne coutume chinoise, je cite la note de Duyvendak :

« Pour conclure un marché, on faisait deux tailles identiques, dont le créditeur gardait celle de gauche. Bien que celui qui pratique la vertu garde la taille, c'est-à-dire la preuve des obligations de l'autre partie, il n'exige pas par la force que ces obligations soient remplies » (Duyvendak, *Le Livre de la voie et de la vertu,* p. 179).

Celui qui n'a pas la vertu ne tient qu'à percevoir son dû.

La voie du ciel ignore le favoritisme,
elle récompense toujours l'homme de bien.

LXXX

Une nation petite et de faible population
peut posséder un certain matériel[1]
qu'elle ne doit pas employer.

Il faut que le peuple considère la mort comme redoutable
et qu'il n'aille pas au loin.
Quoiqu'il ait des bateaux et des voitures,
qu'il ne les utilise pas.
Quoiqu'il ait des armes et des cuirasses,
qu'il n'en fasse pas montre.

1. Yu yue dit : « Les ustensiles pour les dix ou cent personnes indiquent les instruments de l'armée. » J'ai cru devoir donner à ce mot un sens plus large. Cf. Tchou K'ien-tche, *Lao-tseu kiao-che*, p. 197.

Qu'il remette en honneur les cordelettes nouées[1]
et qu'il en fasse usage.
Qu'il trouve savoureuse sa propre nourriture,
Qu'il trouve beaux ses vêtements,
Qu'il se contente de son habitation,
Qu'il se réjouisse de ses coutumes.

Les habitants de deux pays continus
se contentent de s'apercevoir réciproquement
et d'entendre leurs chiens et leurs coqs;
ils mourront de vieillesse
sans qu'il y ait eu de visites réciproques.

1. La Chine de la haute antiquité ne possédait par l'écriture. Les gens se servaient de cordelettes nouées pour marquer les événements de l'année. On faisait un gros ou un petit nœud, selon que l'événement était ou non important. Cf. *Tseu Hai,* p. 104.

LXXXI

Les paroles vraies ne sont pas agréables;
les paroles agréables ne sont pas vraies.
Un homme de bien n'est pas un discoureur;
un discoureur n'est pas un homme de bien.
L'intelligence n'est pas l'érudition;
l'érudition n'est pas l'intelligence.

Le saint se garde d'amasser;
en se dévouant à autrui, il s'enrichit,
après avoir tout donné, il possède encore davantage.

La voie du ciel porte avantage sans nuire;
la vertu du saint agit sans rien réclamer.

DERNIÈRES PARUTIONS

365.	Willy Brandt, Bruno Kreisky et Olof Palme	*La social-démocratie et l'avenir.*
366.	John Kenneth Galbraith	*L'argent.*
367.	Andrei D. Sakharov	*La liberté intellectuelle en U.R.S.S. et la coexistence.*
368.	Daniel Guérin	*L'anarchisme.*
369.	Sören Kierkegaard	*Le concept de l'angoisse.*
370.	Jean-Paul Sartre	*Questions de méthode.*
371.	Platon	*Apologie de Socrate, Criton, Phédon.*
372.	Marshall McLuhan	*La galaxie Gutenberg, tome I.*
373.	Marshall McLuhan	*La galaxie Gutenberg, tome II.*
374.	Jean et Jacqueline Fourastié	*Pouvoir d'achat, prix et salaires.*
375.	Maurice Merleau-Ponty	*Les aventures de la dialectique.*
376.	Albert Camus	*Actuelles.*
377.	Sigmund Freud	*Un souvenir d'enfance de Léonard de Vinci.*
378.	Laurence Thibault	*La peine de mort en France et à l'étranger.*
380.	François Aubral et Xavier Delcourt	*Contre la nouvelle philosophie.*
382.	***	*Claude Lévi-Strauss.*
383.	E. M. Cioran	*Histoire et utopie.*
384.	Friedrich Nietzsche	*Crépuscule des idoles.*
385.	Claude Olievenstein	*La drogue* suivi de *Écrits sur la toxicomanie.*
386.	Friedrich Nietzsche	*L'Antéchrist.*
387.	Jean Giono	*Écrits pacifistes.*
388.	Casamayor	*L'art de trahir.*
389.	Platon	*Dialogues socratiques.*
390.	Friedrich Nietzsche	*Ecce homo.*
391.	***	*La révolution kantienne.*
392.	Spinoza	*Traité de l'autorité politique.*

393.	Jean Labbens	*Sociologie de la pauvreté*
394.	Paul Valéry	*Variété I et Variété II.*
395.	Gérard Mairet	*Les doctrines du pouvoir.*
396.	André Gide	*Retour de l'U.R.S.S.*
397.	Mircea Eliade	*La nostalgie des origines.*
398.	Association « Choisir »	*Viol. Le procès d'Aix-en-Provence.*
399.	Roger Caillois	*Babel* précédé de *Vocabulaire esthétique.*
400.	Dr E. F. Podach	*L'effrondrement de Nietzsche.*
401.	Frédéric J. Grover	*Six entretiens avec André Malraux sur des écrivains de son temps.*
403.	Elisabeth Laffont	*Les livres de sagesses des pharaons.*
404.	Jorge Luis Borges et Alicia Jurado	*Qu'est-ce que le bouddhisme?*
405.	Shmuel Trigano	*La nouvelle question juive.*
406.	Henri Béhar	*Le théâtre Dada et surréaliste.*
407.	G. K. Chesterton	*Hérétiques.*
408.	S. de Beauvoir	*La vieillesse,* tome I.
409.	S. de Beauvoir	*La vieillesse,* tome II.
410.	Marguerite Yourcenar	*Sous bénéfice d'inventaire.*
411.	Antonin Artaud	*Messages révolutionnaires.*
412.	Julien Benda	*Discours à la nation européenne.*
413.	Denis Hollier	*Le Collège de sociologie.*
414.	Frédéric J. Grover	*Drieu la Rochelle.*
415.	Boris de Schlœzer	*Introduction à J.-S. Bach.*
416.	Denis Marion	*Ingmar Bergman.*
417.	Salvador Dali	*La vie secrète de Salvador Dali.*
418.	André Chastel	*L'image dans le miroir.*
419.	Claude Roy	*Sur la Chine.*
420.	Association « Choisir »	*Choisir de donner la vie.*
421.	Jacques Laurent	*Roman du roman.*
422.	Simone Weil	*Réflexions sur les causes de la liberté et de l'oppression sociale.*
423.	Dominique Schnapper	*Juifs et israélites.*

424.	Martin Heidegger	*Chemins qui ne mènent nulle part.*
425.	Jacques Rigaud	*La culture pour vivre.*
426.	Platon	*Protagoras, Gorgias.*
427.	Jean Piaget	*Les formes élémentaires de la dialectique.*
428.	Friedrich Nietzsche	*Le cas Wagner.*
429.	***	*Nord-Sud : un programme de survie.*
430.	Lytton Strachey	*Victoriens éminents.*
431.	Paul Valéry	*« Mon Faust ».*
432.	Maurice Merleau-Ponty	*Humanisme et terreur.*
433.	Jean-Claude Quiniou	*Télématique, mythes et réalités.*
434.	Ernst Jünger	*Le mur du Temps.*
435.	Mircea Eliade	*Méphistophélès et l'androgyne.*
436.	Guillaume Apollinaire	*Chroniques d'art (1902-1918).*
437.	Alfred Max	*La République des sondages.*
438.	***	*Autour de Jean-Paul Sartre.*
439.	Oulipo	*Atlas de littérature potentielle.*
440.	Robert Verdier	*Bilan d'une scission (Congrès de Tours).*
441.	Friedrich Nietzsche	*Humain, trop humain,* tome I.
442.	Friedrich Nietzsche	*Humain, trop humain.* tome II.
443.	André Gide	*Voyage au Congo,* suivi de *Le retour du Tchad.*
444.	Dominique Schnapper	*L'épreuve du chômage.*
445.	Guillaume Apollinaire	*Les diables amoureux.*
446.	Sade	*Justine ou Les malheurs de la vertu.*
447.	Claude Roy	*Les soleils du romantisme.*
448.	Association « Choisir »/ « La cause des femmes »	*Quel Président pour les femmes?*
449.	Henri Laborit	*Éloge de la fuite.*
450.	Michel Ciment	*Les conquérants d'un nouveau monde.*
451.	T. E. Lawrence	*Textes essentiels.*
452.	Léon Blum	*Souvenirs sur l'Affaire.*
453.	Maurice Blanchot	*De Kafka à Kafka.*

454. Marcel Jullian — *La télévision* libre.
455. Joseph-Émile Muller — *La fin de la peinture.*
456. Jean Grenier — *Entretiens sur le bon usage de la liberté.*
457. Colloque des intellectuels juifs — *Politique et religion.*
458. Julien Green — *Pamphlet contre les catholiques de France.*
459. Michèle Coquillat — *La poétique du mâle.*
460. Daniel-Henry Kahnweiler — *Mes galeries et mes peintres. Entretiens avec Francis Crémieux.*
461. Albert Memmi — *Le racisme.*
462. Alexis de Tocqueville — *Voyages en Angleterre et en Irlande.*
463. Thierry Maulnier — *Introduction à la poésie française.*
464. Paul Morand — *Monplaisir... en littérature.*
465. Alexandre Zinoviev — *Nous et l'Occident.*
466. Denis de Rougemont — *La part du Diable.*
467. Jean Cazeneuve — *La vie dans la société moderne.*
468. Jacques Laurent — *Le nu vêtu et dévêtu.*
469. Etienne Souriau — *L'avenir de la philosophie.*
470. Casamayor — *La police.*
471. Henri Laborit — *La nouvelle grille.*
472. Julien Green et Jacques Maritain — *Une grande amitié (Correspondance 1926-1972).*
473. Colloque des intellectuels juifs — *La Bible au présent (Données et débats).*
474. Jean-Pierre Faye — *Dictionnaire politique portatif en cinq mots.*
476. Jean Paulhan — *Les causes célèbres.*
477. Ludwig Wittgenstein — *Leçons et conversations* suivies de *Conférence sur l'éthique.*
478. Bernard Pingaud — *L'expérience romanesque.*
479. Franz Kafka — *Lettres à Milena.*
480. E. M. Cioran — *De l'inconvénient d'être né.*
481. Paul Valéry — *Degas danse dessin.*

482.	Luis Suarez Fernandez	*Les Juifs espagnols au Moyen Age.*
483.	Bernard Grœthuysen	*J.-J. Rousseau.*
484.	André Belamich	*Lorca.*
485.	Michel Tournier	*Le vol du vampire (Notes de lecture).*
486.	Armando Verdiglione	*La liberté que je prends.*
487.	Eugenio d'Ors	*Du Baroque.*
488.	Roger Caillois	*L'incertitude qui vient des rêves.*
489.	Yves Bonnefoy	*L'Improbable* et autres essais.
490.	Erwin	*Idea.*
491.	Martin Buber	*Gog et Magog. Chronique de l'époque napoléonienne.*
492.	Alejo Carpentier	*Chroniques.*
493.	Jean Cocteau	*Tour du monde en 80 jours.*
494.	Association « Choisir »/ « La cause des femmes »	*Fini le féminisme?*
495.	John Kenneth Galbraith	*La voix des pauvres.*
496.	Alain Minc	*L'après-crise est commencé.*
497.	Gérard Chaliand	*Stratégies de la guérilla.*
498.	Colloque des intellectuels juifs	*Israël, le judaïsme et l'Europe.*
499.	Suzanne Lilar	*A propos de Sartre et de l'amour.*
500.	Centre européen de la Culture	*L'Europe et les intellectuels.*
501.	Jean Lecerf	*La Communauté face à la crise.*
502.	Robert Mallet	*Une mort ambiguë.*
503.	Madeleine Chapal	*La jalousie.*
504.	G. K. Chesterton	*Orthodexie.*

Impression Brodard et Taupin
à La Flèche (Sarthe),
le 30 août 1985.
Dépôt légal : août 1985.
1er dépôt légal dans la collection : mars 1968.
Numéro d'imprimeur : 6428-5.
ISBN : 2-07-035179-3 / Imprimé en France

36407